BIEN MANGER ! AVEC YVES

Je dédie affectueusement ce livre à mon épouse, Sylvia, et à mes deux enfants, Ariane et Marcus.

Un merci spécial à Nutricom de Québec, à Stéphane Maher et à Farid Makki pour avoir contribué à la version française de ce livre de recettes.

Selon la politique en vigueur chez Yves Veggie Cuisine, de même que chez ses imprimeurs et associés, tous les livres publiés sont imprimés sur du papier recyclé avec de l'encre végétale.

Bibliothèque nationale, données de catalogage avant publication :
Potvin, Yves.
Bien manger ! avec Yves / Yves Potvin
ISBN: 0-968481-7-1-X
Imprimé au Canada
Première édition

1 2 3 4 5 6 7 8 9 10

www.yvesveggie.com

TABLE DES MATIÈRES

SOUPES & SALADES

SANDWICHES, HOT DOGS ET BURGERS

ENTRÉES

BOISSONS

REMERCIEMENTS

Je tiens d'abord à remercier Vesanto Melina, diététiste professionnelle, et le chef Joseph Forest, qui m'ont aidé à concevoir ce livre de recettes. Ils ont pris une part importante à sa réalisation et travailler avec eux s'est avéré une expérience des plus agréables. Mille fois merci aux chefs Jozsef Bogdan, François Gagnon et Olivier Andretti pour leur participation à quelques-unes de ces merveilleuses recettes.

Yves Veggie Cuisine a vu le jour il y a de cela 15 ans, et je suis extrêmement reconnaissant aux nombreuses personnes qui ont contribué au succès de ma compagnie.

Des remerciements très spéciaux à mon frère Claude et à ma sœur Francine, qui ont cru en moi et m'ont prêté une partie du capital requis pour lancer mon entreprise. À mes parents, qui ont su m'inculquer le sens d'un travail bien accompli, ce qui m'a permis de pouvoir réaliser mes rêves. À ma sœur Lucie, pour son encouragement continu, et à mon frère Jean-Paul qui, à sa manière, m'a montré combien la vie est précieuse. À Richard Gagné et à Jean Côté pour avoir été là, au bon endroit et au bon moment. À Michael Weiner, qui m'a beaucoup appris sur l'industrie alimentaire, et à Henk Hoogenkamp, pour son soutien constant. À Lucie Bellefeuille, qui m'a un jour suggéré de devenir chef, et à Jacques Hébert, dont l'influence m'a conduit vers la cuisine santé. À Omar Flamenco, à Carlos Palomo et à Hien Trinh, pour leur rôle dans la mise sur pied de cette entreprise. À Ron Trepanier et à Laurie Jones, ainsi qu'à Clare Thomson et à Don Daintrey, pour leur passion et leur engagement. À mon assistante Tracy Wright, pour son aide dans l'organisation de mon quotidien et dans la concrétisation de cet ouvrage.

La dernière personne, et non la moindre, que je souhaite remercier est mon grand ami Ken Bolton. Merci pour ton support et tes judicieux conseils qui m'ont aidé à faire de Yves Veggie Cuisine l'entreprise qu'elle est aujourd'hui.

À PROPOS D'YVES

YVES POTVIN

Mais, qui est donc Yves ? Permettez-moi de me présenter, ainsi que mon entreprise Yves Veggie Cuisine.

Comme mon nom le révèle, mes ancêtres étaient Français. Mon intérêt pour une alimentation savoureuse est donc tout naturel ! Ma mère, d'ailleurs, est une excellente cuisinière. Lorsque j'étais enfant, l'arôme d'un plat sur le feu embaumait toujours la maison et je voyais que ma mère passait beaucoup de temps aux fourneaux pour satisfaire les goûts d'une famille nombreuse. Tout en grandissant, j'ai d'abord préparé de simples barbecues, pour ensuite découvrir les recettes plus raffinées de mon héritage culinaire.

Ma passion pour les aliments et, probablement, l'influence de ma mère m'ont amené à choisir la profession de chef. En commençant à travailler dans des établissements de prestige, je me suis rendu compte que la clientèle, comme moi, s'intéressait de plus en plus à la santé, à la forme physique et à la nutrition. En expérimentant de nouvelles recettes, je découvrais aussi qu'une cuisine allégée et saine me gardait vif, alerte et plein d'énergie, tout en me rassasiant.

Cette nouvelle vitalité devait changer ma vie. En 1983, alors que je traversais l'Amérique du Nord à vélo en moins de deux mois, j'ai constaté que les mets favoris des Nord-Américains (les burgers, les hot dogs et même les sandwichs) donnaient aux gens une grande liberté, mais pas la qualité nutritionnelle qu'ils méritaient. Je me suis dès lors intéressé de près à un meilleur équilibre entre santé, nutrition, simplicité et saveur.

Sur mon vélo, je m'interrogeais : peut-on créer des aliments pratiques mais sans utiliser les ingrédients que les gens n'aiment pas comme les agents de conservation, les gras saturés et le cholestérol ? Peut-on imaginer des versions « santé » de nos aliments favoris qui puissent satisfaire, même dépasser nos attentes en termes de saveur ? Je ne soupçonnais pas que ces questions passionnantes allaient prendre une place prépondérante dans ma vie.

Et puis, ce fut le déclic !

Aussi fou que ce projet ait pu paraître à l'époque, je voulais créer un nouveau hot dog. Il serait comme je les aimais enfant, avec la même forme et le même goût, mais fait avec des ingrédients d'origine végétale. Et par-dessus tout, il serait délicieux et nutritif pour ceux qui en mangeraient !

YVES GRILLE SON HOT DOG FAVORI
ÉTÉ 1965

Avec cette idée en tête, je me suis consacré corps et âme à créer cette nouvelle saucisse santé. Mes efforts n'ont pas été vains car les saucisses Yves Veggie Cuisine ont immédiatement séduit les consommateurs. Les gens étaient mûrs pour une saine alternative aux aliments-minute traditionnels et ont littéralement adopté nos saucisses.

Aujourd'hui, Yves Veggie Cuisine représente le travail d'une équipe d'experts créatifs et convaincus. Ensemble, nous produisons une vaste gamme de produits savoureux, sans gras, ni cholestérol et d'utilisation pratique, et cherchons constamment des façons d'aider les gens à savourer des repas équilibrés et délicieux. Pour plusieurs, adopter une alimentation saine signifie changer leurs habitudes alimentaires et apprendre à cuisiner différemment. Le moment était venu pour un livre de recettes « santé », délicieuses et faciles à réaliser. Voici donc *Bien manger ! Avec Yves*. Une cuisine saine pour mieux savourer la vie !

LES RECETTES TRADITIONNELLES, ADAPTÉES AUX BESOINS D'AUJOURD'HUI !

Le virage des consommateurs vers une saine alimentation s'exprime déjà dans leurs achats au supermarché. Mais ce n'est pas tout : le changement est aussi perceptible dans le choix des recettes. C'est pourquoi vous trouverez, dans Bien manger ! Avec Yves, des recettes bien connues de votre famille, mais apprêtées au goût du jour.

Il y a vingt ans, on préparait souvent le bœuf Stroganoff avec un quart de tasse de beurre. À l'époque, on ne trouvait pas non plus le profil nutritionnel des recettes. Ce type de cuisine contribuait malheureusement à l'augmentation de notre tour de taille, certaines recettes traditionnelles fournissant jusqu'à 75 % de leurs calories sous forme de matières grasses !

Chez Yves Veggie Cuisine, nous avons beaucoup réduit le beurre, l'huile et la crème sure, tout en préservant la succulente saveur de vos plats préférés.

QUELQUES MOTS SUR LES MATIÈRES GRASSES

Il est toujours plus facile d'ajouter une touche de gras à une recette que d'en enlever à des ingrédients qui en sont riches au départ. Voilà pourquoi les recettes à base de produits Yves Veggie Cuisine vous donnent autant de liberté.

Vous recherchez des menus faibles en gras ? Vous y arriverez sans difficulté en suivant nos recettes puisque, au départ, nos produits sont sans gras. Vous pourriez aussi choisir d'ajouter, en cuisinant, un filet d'huile d'olive ou de canola de très bonne qualité. Certaines de nos recettes vous proposeront d'ailleurs des quantités variables.

À vous de choisir. Toutes les recettes de Bien manger ! Avec Yves peuvent s'ajuster à vos goûts.

SOUVENEZ-VOUS DE CE QUI COMPTE VRAIMENT

Je pense souvent à mon père qui, maintenant qu'il a passé le cap des 70 ans, apprécie de mieux en mieux ce qui fait l'essence de la vie. En réalité, peu importe l'argent ou les biens matériels, la santé demeure ce que nous avons de plus précieux. Cette santé touche tous les aspects de notre vie, même les aspects intellectuel, émotionnel et spirituel. Quand nous mangeons mieux, nous nous sentons mieux et apprécions davantage notre entourage.

Bien manger pour bien vivre !

Nous avons tous notre place dans ce monde et chacun peut, à sa façon, travailler à l'améliorer. Je me considère privilégié de pouvoir contribuer un tant soit peu avec des aliments sains, qui respectent notre environnement et sont appréciés par tant de personnes.

Je vous laisse maintenant avec *Bien manger ! Avec Yves* qui saura, je l'espère, enrichir votre menu et votre vie.

Bon appétit !

Yves Potvin
Président fondateur d'Yves Veggie Cuisine
VANCOUVER, CANADA

SELON LA FDA AUX ÉTATS-UNIS

LE SOJA EST BON POUR LE COEUR

À la lumière des résultats d'une vaste étude et d'essais cliniques, la Food and Drug Administration des États-Unis reconnaissait, le 20 octobre 1999, l'impact réel du soja en termes de réduction du cholestérol sanguin et déclarait que :

"Une alimentation faible en gras saturé et en cholestérol, et comprenant 25 grammes de protéines de soja par jour, peut réduire le risque de maladie cardiaque."

ALLÉGATION PERMISE PAR LA FDA. TOUS LES PRODUITS YVES VEGGIE CUISINE, À L'EXCEPTION DES PLATS PRÉPARÉS ET DES SAUCISSES AU TOFU, CONTIENNENT AU MOINS 6,25 GRAMMES DE PROTÉINES DE SOJA PAR PARTION.

LA SAVEUR NOUS TIENT À COEUR

Le soja est depuis toujours la principale source de protéines dans tous les produits Yves Veggie Cuisine. Faibles en gras et en cholestérol, et contenant en moyenne sept grammes de protéines de soja par portion, nos produits sont une délicieuse façon de bénéficier des bienfaits du soja. Car peu importe leurs avantages, c'est leur bon goût qui vous fera les adopter ! En choisissant parmi les nombreux produits Yves Veggie Cuisine, il est facile d'ajouter un peu de soja à votre menu, sans aucun compromis sur la qualité ou le goût.

LES AVANTAGES SANTÉ DU SOJA

le plus réjouissant est son goût délicieux !

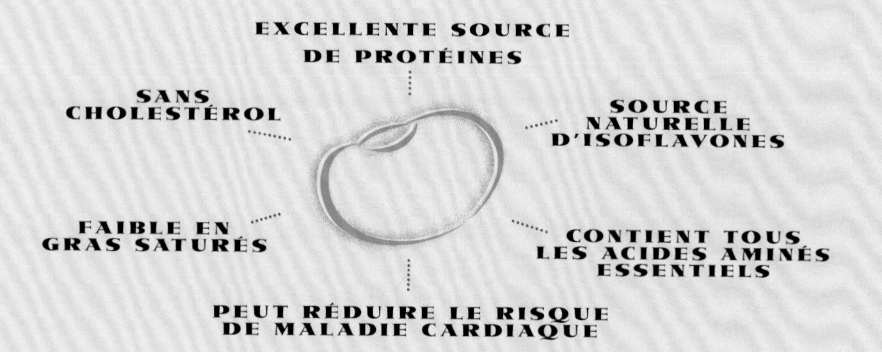

LE SOJA : UN NOUVEAU SUPERALIMENT ?

La déclaration de la FDA à propos du soja et de la santé du coeur, ainsi que l'effet hypocholestérolémiant bien démontré et l'extraordinaire teneur en protéines du soja, confirment que ce modeste haricot mérite son titre de superaliment. Mais bien qu'il fasse les manchettes, le soja n'est pas nouveau. Ses bienfaits sont appréciés des civilisations orientales depuis des siècles. Comme nous en avons récemment découvert les avantages, nous en avons fait la base des produits Yves Veggie Cuisine. Les aliments faits de soja sont maintenant de populaires substituts de la viande, des œufs et des produits laitiers. Étant donné leurs nombreux atouts, il n'est pas étonnant qu'ils connaissent une telle popularité.

NOTRE ÉVENTAIL DE PRODUITS

SAUCISSES VEGGIE

VEGGIE BURGERS

TRANCHES DÉLI

SANS-VIANDE HACHÉE

ENTRÉES VEGGIE

Faites maintenant connaissance avec la gamme de produits Yves Veggie Cuisine et découvrez comme il est facile d'adopter cette nouvelle cuisine santé. Clarifiez ensuite quelques termes culinaires et passez en revue certaines pièces d'équipement des plus utiles. Un peu plus loin, vérifiez ce que signifie l'information nutritionnelle accompagnant chaque recette, de même que la différence entre la teneur en matières grasses et leur contribution calorique. En créant nos produits et nos recettes, nous avions votre santé comme objectif et une saine alimentation comme ingrédient-clé. Nous espérons que vous et votre famille prendrez plaisir à savourer ces versions améliorées de vos recettes préférées.

L'éventail des produits Yves Veggie Cuisine se décline en cinq catégories.

LES SAUCISSES YVES VEGGIE CUISINE : les saucisses au tofu, les saucisses Veggie, les Jumbo Veggie Dogs, les Jumbo Veggie Dogs épicés, les saucisses au chili et les saucisses à déjeuner.

LES BURGERS YVES VEGGIE CUISINE : les Veggie burger burgers, les escalopes jardinières, les burgers aux haricots noirs et champignons.

LES TRANCHES YVES VEGGIE CUISINE : les tranches de Veggie pepperoni, le Veggie pizza pepperoni, le Veggie bacon fumé, les tranches de dinde Veggie, les tranches de jambon Veggie et les tranches Déli Veggie.

LES SANS-VIANDES HACHÉES YVES VEGGIE CUISINE : le sans-viande hachée original et le sans-viande hachée italien.

LES PLATS PRÉPARÉS « réchauffer et servir » **YVES VEGGIE CUISINE**, dont la famille est appelée à grandir : le Veggie chili et les plats de pâtes Veggie (penne, macaroni et lasagne).

CUISINER AVEC LES PRODUITS YVES

Lorsque vous utilisez nos produits, gardez en tête deux choses importantes :

- les produits sont précuits et prêts à servir ;
- les produits ont l'aspect et la saveur de la viande, mais on doit les faire cuire moins longtemps.

Plusieurs produits se révèlent encore plus savoureux une fois réchauffés, mais ils ne requièrent jamais les longues cuissons de la cuisine traditionnelle. C'est là l'un des grands avantages à utiliser les produits Yves Veggie Cuisine. La préoccupation des dernières années pour des aliments sains nous a amenés à servir la viande très bien cuite, voire trop cuite. Ces précautions ne sont pas nécessaires avec nos produits. Préparés avec des protéines de soja, dans un environnement très hygiénique, ils sont précuits et contiennent beaucoup moins de gras que la viande. Pour de meilleurs résultats, assurez-vous de ne pas les surcuire. Consultez les emballages pour connaître les temps de cuisson et de réchauffage des différents produits, à la vapeur, aux micro-ondes ou dans un poêlon.

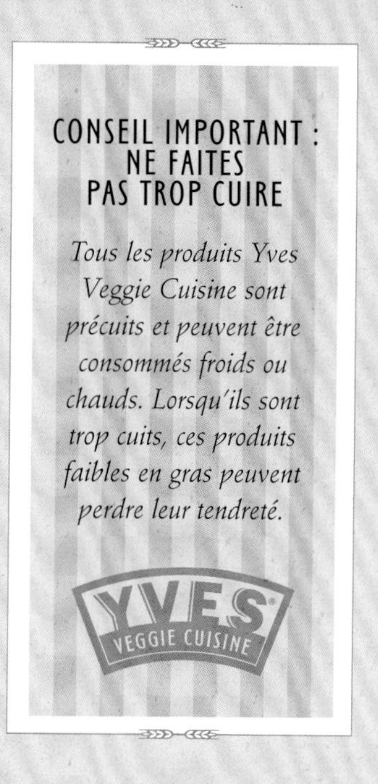

Le sans-viande hachée Yves Veggie Cuisine

Plein de talents, ce produit remplace littéralement le boeuf haché en cuisine. Que ce soit pour le pâté chinois, les cigares au chou ou la sauce bolonaise, ne le faites pas revenir longuement dans l'huile. Ajoutez-le plutôt à mi-cuisson ou à la toute fin : il n'a besoin que d'être réchauffé.

Les Saucisses à Déjeuner

Nouvel emballage facile à ouvrir ! Entaillez simplement l'emballage et dégagez la saucisse.

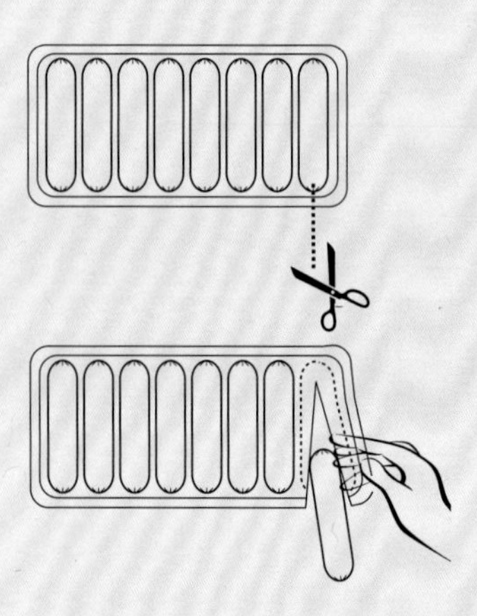

Le sans-viande hachée Yves absorbe en partie le liquide contenu dans la sauce. Si vous réchauffez de nouveau votre plat le lendemain, ajoutez un peu de liquide pour éclaircir la sauce.

Les burgers et les escalopes Yves Veggie Cuisine

Les burgers et escalopes Yves n'ont pas besoin d'être frits, grillés, cuits sur le barbecue ou aux micro-ondes « jusqu'à ce qu'ils soient bien cuits ». Faites-les réchauffer jusqu'à ce que le centre soit bien chaud : ils sont alors prêts à déguster. Lorsque vous cuisinez un Stroganoff, un cari de légumes ou une goulache hongroise, cuisinez la sauce en premier, puis ajoutez-y les burgers.

Les saucisses, les Veggie Dogs et les saucisses à déjeuner Yves Veggie Cuisine

Voici un truc pour que les saucisses faibles en gras Yves restent succulentes : réchauffez-les à la vapeur ! Réchauffez à la vapeur ou faites mijoter les saucisses pendant 3 min, jusqu'à ce que leur centre soit chaud. Ou encore, mettez les saucisses Yves dans un plat allant au four micro-ondes, ajoutez de l'eau et couvrez lâchement d'un couvercle ou d'une pellicule plastique. Faites réchauffer à intensité élevée pendant 2-3 min. Vous pouvez également les réchauffer sur le barbecue ou au four, ou encore les faire rôtir ou griller. La clé est de ne pas trop les cuire, car elles deviendraient alors plus sèches.

Pour retirer une saucisse à déjeuner Yves de son emballage, découpez le papier plastique à une extrémité de la saucisse, comme le dessin l'indique. Dégagez ensuite la saucisse en tirant sur l'emballage. Faites réchauffer à la vapeur ou faites revenir dans un soupçon d'huile jusqu'à ce que les saucisses soient bien chaudes et dégustez !

Les tranches Yves Veggie Cuisine

Les produits en tranches Yves sont prêts à manger sans cuisson. Le délicieux Veggie bacon fumé est cependant rehaussé lorsqu'on le fait sauter brièvement. Qu'ils soient sur une pizza ou dans un poêlon, évitez de surcuire les tranches de Veggie pepperoni et autres produits en tranches Yves. Lorsque vous préparez une pizza, humectez-les de sauce tomate pour conserver leur aspect moelleux.

Les plats frais préparés Yves Veggie Cuisine

Yves Veggie Cuisine vous propose 5 délicieux plats préparés avec son produit primé : le sans-viande hachée. Prêts en 3 min environ, les plats Yves peuvent être réchauffés sur le feu ou aux micro-ondes : consultez les instructions sur l'emballage pour un repas rapide, délicieux et nutritif.

Les amateurs de pâtes raffoleront des plats de pâtes Yves : les penne, le macaroni et la lasagne, tous généreux en sauce tomate parfumée aux herbes.

Préparé avec le sans-viande hachée et des haricots rouges, le Veggie chili Yves est facile à allonger pour combler l'appétit de plus d'une personne. Ajoutez-lui d'autres ingrédients tels que maïs, poivron et saucisses Yves, et parfumez-le d'herbes fraîches, la coriandre par exemple. Le Veggie chili fera également une excellente soupe mexicaine aux haricots si vous lui ajoutez du bouillon, de la salsa et un trait de jus de lime.

BIEN CONSERVER NOS PRODUITS

Choisir les produits Yves Veggie Cuisine, c'est mettre de la santé dans votre assiette. Voici quelques conseils pour vous assurer de préserver l'excellente qualité de ces produits.

Q. Comment dois-je conserver et utiliser le sans-viande hachée, les saucisses, les tranches et les burgers Yves Veggie Cuisine ?

R. Les produits Yves doivent être traités avec le même soin que tous les aliments périssables. Sitôt que possible après l'achat, mettez le sans-viande hachée, les saucisses, les tranches et les burgers au réfrigérateur ou au congélateur.

Q. De quelle façon dois-je conserver les plats « préparés » Yves Veggie Cuisine ?

R. Le Veggie chili et les plats de pâtes Veggie seront meilleurs réfrigérés, plutôt que congelés.

Q. Combien de temps puis-je garder les produits Yves Veggie Cuisine dans mon réfrigérateur?

R. Si les produits ne sont pas entamés, on peut les conserver jusqu'à la date de péremption apparaissant au dos de l'emballage.

Q. Combien de temps le sans-viande hachée, les saucisses, les tranches et les burgers Yves Veggie Cuisine gardent-ils leur fraîcheur une fois leur emballage ouvert ?

R. Une fois entamés, les produits Yves peuvent être conservés au réfrigérateur, bien emballés dans une pellicule plastique, pendant 5 à 6 jours.

Q. De quelle façon dois-je faire décongeler les produits Yves Veggie Cuisine ?

R. Comme pour tout aliment périssable, il est recommandé de les faire décongeler au réfrigérateur.

Q. Une fois les produits Yves Veggie Cuisine décongelés, puis-je les faire congeler de nouveau ?

R. Non. Pour préserver leur qualité optimale, nous vous recommandons de ne pas les faire congeler une deuxième fois.

TERMES ET TECHNIQUES CULINAIRES

Le vocabulaire de la cuisine vous semble-t-il intimidant ? Soyez rassuré : les techniques sont pour la plupart très simples. Voici un petit lexique pour vous guider dans vos découvertes et vos apprentissages.

BLANCHIR : Plonger les aliments dans l'eau bouillante pendant quelques minutes. Le blanchiment permet d'amorcer la cuisson d'un aliment, de fixer la couleur vive des légumes et de décoller la peau des fruits et des amandes.

CUIRE À LA VAPEUR : Exposer directement à la vapeur. Les aliments, par exemple des saucisses Yves, sont mis dans un panier troué, lequel est disposé dans une grande casserole munie d'un couvercle et contenant une petite quantité d'eau que l'on porte à ébullition. La cuisson à la vapeur préserve la jutosité et la rondeur des saucisses Veggie, ainsi que la valeur nutritive des aliments.

COUPER EN JULIENNE : Tailler en petits bâtonnets très minces, comme des allumettes.

COUPER EN DÉS : Tailler en petits cubes de la grosseur du bout de votre petit doigt.

ÉMINCER : Tailler en tranches très fines. L'ingrédient ainsi taillé dégage plus facilement son arôme dans la préparation et cuit plus rapidement.

HACHER : Tailler, sans précautions particulières, un aliment en petits morceaux irréguliers.

SAUTER : Faire cuire les aliments rapidement à feu moyen ou élevé en les déplaçant constamment dans le poêlon. Si vous utilisez un poêlon léger aux rebords inclinés, vous pouvez littéralement faire sauter les aliments d'un petit mouvement sec du poignet. Vous pourriez aussi, bien sûr, utiliser une spatule ou une cuillère pour retourner les aliments.

RÈGLES POUR VOUS FACILITER LA VIE

1. **Investissez dans de l'équipement adéquat.**
Cuisiner avec des outils de qualité est non seulement plus efficace, mais beaucoup plus agréable également, ce qui incite à manger plus frais, plus santé (voyez les pages 16 et 17).

2. **Lisez la recette au moins deux fois.**
Avant de commencer, familiarisez-vous avec les ingrédients, les techniques culinaires et les étapes de la préparation.

3. **Rassemblez tous les ingrédients.**
Réunissez les ingrédients dans votre espace de travail avant de commencer. Il n'y a rien de plus frustrant que de se rendre compte, trop tard, qu'il manque quelque chose d'essentiel !

4. **Apprenez à maîtriser quelques recettes.**
Choisissez quelques recettes que vous ferez plusieurs fois jusqu'à ce que vous preniez de l'assurance. Il vous sera alors plus facile d'innover, de varier les ingrédients et ainsi créer de nouveaux plats.

5. **Simplifiez le menu.**
Les recettes de ce livre sont simples, mais très nutritives. Vous n'avez besoin que d'un ou deux mets pour composer un repas complet. Servez par exemple une soupe avec du pain de blé entier ou multigrains, ou encore accompagnez un plat de riz ou de pâtes d'une salade et d'une boisson de soja.

6. **Faites provision d'ingrédients pratiques.**
Garder en réserve des aliments prêts à servir ou faciles à préparer, tels des conserves d'haricots, des pâtes alimentaires et des produits Yves Veggie Cuisine. Cela vous permettra de réduire considérablement le temps de préparation des repas.

7. **Préparez certains ingrédients à l'avance.**
Si chaque minute compte, préparez de la salade, du riz ou des haricots pour plusieurs repas. La salade se conserve bien dans un récipient hermétique. Le riz pourra servir à la préparation de cigares au chou. Les haricots pourront être mis à congeler en portions pour utilisation ultérieure dans des fèves aux saucisses Veggie ou dans le mélange mexicain Veggie. Doublez ou triplez la recette de boulettes Veggie et faites-les congeler. Pour un délicieux repas en un tournemain, servez-les avec des pâtes.

8. **Faites-vous aider dans la cuisine.**
Les membres de la famille ont tendance à faire un petit tour dans la cuisine juste avant l'heure des repas : profitez-en ! Les enfants vivent la préparation des repas comme une expérience sensorielle agréable, laquelle leur donne l'occasion d'apprivoiser les légumes. Avec le temps, les jeunes sauront réaliser une recette avec un minimum de supervision. Au moment de quitter le nid familial, les enfants vous seront reconnaissants de leur avoir légué cet héritage culinaire.

9. **Prenez un cours de cuisine.**
Apprenez comment préparer des légumes, manier un couteau, bref, développez des habiletés culinaires qui vous serviront toute la vie. Certains programmes d'éducation des adultes, boutiques de gourmet ou librairies spécialisées proposent de tels cours.

10. **Fiez-vous à votre intuition.**
Cuisiner ne repose pas uniquement sur la logique. Cette activité interpelle tous nos sens et notre intuition. Si vous vous demandez quand ajouter les épices ou stopper la cuisson des nouilles, fiez-vous à vos impressions. Se détendre et se mettre en mode réceptif pourrait bien s'avérer le plus important geste menant à la santé. Surtout, amusez-vous, soyez créatif – et découvrez le plaisir de cuisiner !

ÉQUIPEMENT INDISPENSABLE

Les produits Yves Veggie Cuisine sont faciles à préparer et ce, avec un minimum d'équipement. Il vaut cependant la peine d'investir dans l'achat de quelques pièces de qualité : cuisiner santé n'en sera que plus agréable ! Voici les dix incontournables.

1. **Un couteau de chef (et, si possible, un fusil)**
   L'outil qui vous procurera le plus de plaisir et d'efficacité dans une cuisine ? Un couteau de chef de 8 pouces, solide, bien affûté et tenant bien dans la main. Pour le garder tranchant, affûtez-le avec un fusil ou un aiguise-couteau et, à l'occasion, faites-le affûter par un spécialiste. Soyez prudent lorsque vous utilisez un tel couteau !

2. **Une planche à découper**
   La planche à découper étant votre surface de travail, assurez-vous d'avoir assez d'espace pour hacher et préparer vos ingrédients. Une planche facile à nettoyer mesurant 8 x 12 pouces représente le minimum. Si votre table de travail le permet, gâtez-vous avec une planche de 13 x 20 pouces.

3. **Un ensemble de bols à mélanger**
   Choisissez un ensemble d'au moins quatre bols en verre ou en acier inoxydable.

4. **Un poêlon à revêtement antiadhésif et un pulvérisateur d'huile**
   Ces deux outils permettent de réduire l'utilisation de matières grasses. Les poêlons doivent avoir une bonne capacité de conduction et diffuser la chaleur uniformément. Choisissez-en un de 10 pouces de diamètre et, peut-être, un autre de 6 pouces. Le pulvérisateur d'huile vous permettra de vaporiser une fine couche d'huile au lieu de verser celle-ci à la cuillère.

5. **Des casseroles**
Vous aurez besoin d'au moins deux casseroles : une grande, pour les soupes et les pâtes, et une plus petite, pour les sauces ou les légumes à la vapeur. Leur taille exacte dépendra du nombre de convives.

6. **Un mélangeur**
Le mélangeur est très utile pour réduire en purée les soupes, les légumes, les vinaigrettes et faire mousser les fouettés aux fruits et les boissons de soja frappées.

7. **Un panier vapeur**
Le panier vapeur en acier inoxydable est un outil peu dispendieux qui s'ajuste à toutes les tailles de casseroles. Vous le trouverez très pratique pour faire cuire les légumes et pour réchauffer les saucisses Veggie. Il n'a pas son pareil pour leur conserver tout leur aspect moelleux ! On trouve aussi sur le marché des étuveuses électriques.

8. **Une passoire ou un tamis**
Très utiles pour égoutter les pâtes, les pommes de terre, les légumes cuits ou en conserve.

9. **Les petits ustensiles**
Voici les ustensiles prioritaires dans une cuisine : ouvre-boîte, couteau d'office, couteau éplucheur, tasses et cuillères à mesurer, cuillère de bois, râpe, spatule, pinces et fouet. Des articles de qualité vous permettront de travailler plus rapidement, sans effort.

10. **Un robot culinaire**
Il n'est pas nécessaire de posséder un robot culinaire pour réaliser les recettes de ce livre. Cependant, le robot culinaire, votre meilleur aide-cuisinier, vous évitera les tâches fastidieuses et élargira vos possibilités culinaires.

INFORMATION NUTRITIONNELLE

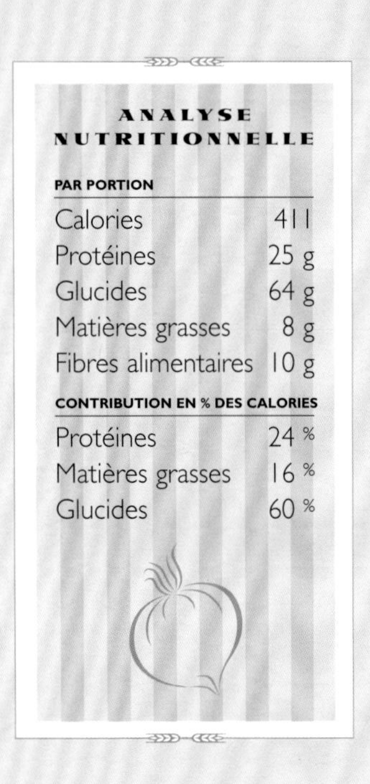

ANALYSE NUTRITIONNELLE

PAR PORTION	
Calories	411
Protéines	25 g
Glucides	64 g
Matières grasses	8 g
Fibres alimentaires	10 g

CONTRIBUTION EN % DES CALORIES	
Protéines	24 %
Matières grasses	16 %
Glucides	60 %

Lecteurs avertis des emballages d'aliments, mordus de la nutrition et toute personne préoccupée de son tour de taille et qui utilise une méthode de calcul, ce chapitre est pour vous !

Nos recettes sont soigneusement conçues pour fournir un maximum de saveur, tout en respectant les recommandations pour la santé. Les produits Yves Veggie Cuisine sont riches en protéines, vitamines et minéraux, mais contiennent peu ou pas de gras et sont exempts de cholestérol. Avec ces produits, il est facile de manger santé !

Chacune des recettes de ce livre est accompagnée d'information nutritionnelle. À côté de la recette de pâté chinois au sans-viande hachée (page 99) par exemple, on trouve un tableau pareil au tableau ci-contre.

Cette analyse n'inclut pas les ingrédients facultatifs et, lorsqu'une quantité variable est suggérée dans une recette, nous avons tenu compte de la plus petite quantité.

Sous la liste des grammes de protéines, de glucides, de matières grasses et de fibres par portion, vous trouverez également le pourcentage des calories provenant de ces nutriments. Vous avez probablement entendu dire qu'un maximum de 30 % de vos calories quotidiennes devrait provenir des matières grasses. À l'occasion, une recette (un mets favori ou une vinaigrette) peut fort bien dépasser ce pourcentage, mais essayez la plupart du temps de vous maintenir près de ce 30 %. Comme vous le constaterez, nous avons créé nos recettes en ayant à cœur votre santé.

Voici les contributions caloriques des protéines, des glucides et des matières grasses dans l'alimentation que recommande l'Organisation mondiale de la santé aux adultes afin de préserver la santé et de prévenir certaines maladies chroniques. * Les autorités nationales et inter-nationales en santé font la promotion de lignes directrices similaires, dans le but de réduire le risque de maladie cardiaque, de cancer et d'autres maladies chroniques.

	LIMITE INFÉRIEURE % DES CALORIES TOTALES	**LIMITE SUPÉRIEURE** % DES CALORIES TOTALES
Protéines	**10**	**15**
Glucides	**55**	**75**
Matières grasses totales	**15**	**30**

Beaucoup d'aliments végétaux, tels que graines, légumes et fruits, ne dépassent pas 10 % de leurs calories sous forme de matières grasses. Ils contiennent de bonnes huiles végétales et très peu ou pas de gras saturé. Construire votre menu autour de ces aliments vous aidera à manger équilibré. Les produits Yves Veggie Cuisine peuvent aussi vous aider car ils sont quasi sans gras et exempts de gras saturé. Nos produits étant riches en protéines, nos recettes le sont aussi. Ajoutez du pain ou une salade au pâté chinois au sans-viande hachée et vous pourrez aussi vous permettre la vinaigrette ou un dessert !

* *La diète, la nutrition et la prévention des maladies chroniques. Organisation mondiale de la santé, Série de rapports techniques 797, Genève.*

DEUX REGARDS DIFFÉRENTS

% DES MATIÈRES GRASSES (EN POIDS) ET % DES CALORIES PROVENANT DES MATIÈRES GRASSES

Les chiffres sur les étiquettes sont pour vous un vrai casse-tête ? On y trouve par exemple le nombre de grammes de protéines, de matières grasses et de glucides par portion, alors que les experts recommandent un maximum de 30 % des calories sous forme de matières grasses. Comment réconcilier ces deux informations différentes ? En guise d'exemple, examinons les calculs pour des saucisses hot-dog traditionnelles et, ensuite, pour des saucisses Veggie Yves.

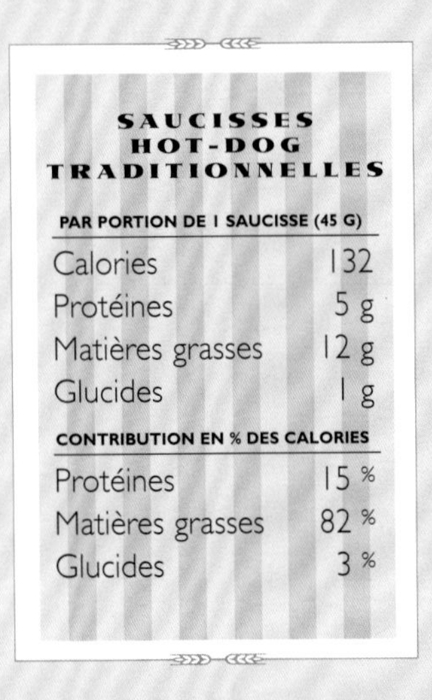

SAUCISSES HOT-DOG TRADITIONNELLES

PAR PORTION DE 1 SAUCISSE (45 G)	
Calories	132
Protéines	5 g
Matières grasses	12 g
Glucides	1 g
CONTRIBUTION EN % DES CALORIES	
Protéines	15 %
Matières grasses	82 %
Glucides	3 %

EXEMPLE #1

SAUCISSES HOT-DOG TRADITIONNELLES

% DES MATIÈRES GRASSES (EN POIDS)

Voici comment calculer le pourcentage des matières grasses selon le poids :

$$\frac{\text{nombre de grammes de matières grasses (12)}}{\text{nombre de grammes au total (45)}} = \textbf{27 \% de matières grasses selon le poids}$$

% DES CALORIES PROVENANT DES MATIÈRES GRASSES

Voici comment calculer le pourcentage des calories provenant des matières grasses[1] :

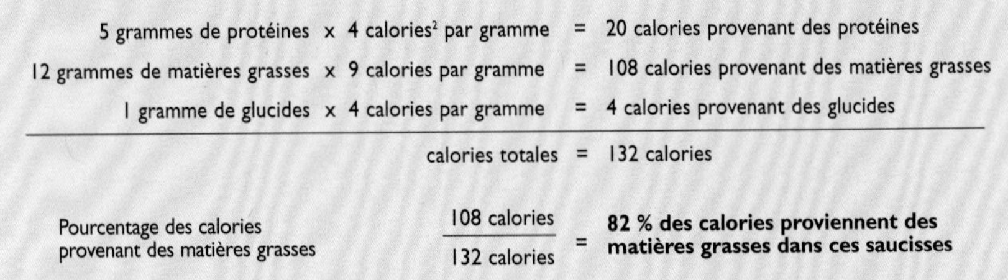

5 grammes de protéines	x 4 calories[2] par gramme	=	20 calories provenant des protéines
12 grammes de matières grasses	x 9 calories par gramme	=	108 calories provenant des matières grasses
1 gramme de glucides	x 4 calories par gramme	=	4 calories provenant des glucides
	calories totales	=	132 calories

Pourcentage des calories provenant des matières grasses $\frac{\text{108 calories}}{\text{132 calories}}$ = **82 % des calories proviennent des matières grasses dans ces saucisses**

Dans cette saucisse hot-dog traditionnelle, 15 % des calories proviennent des protéines, 3 % proviennent des glucides et 82 % proviennent des matières grasses.

EXEMPLE #2

SAUCISSES VEGGIE YVES

% DES MATIÈRES GRASSES (EN POIDS)

Voici comment calculer le pourcentage des matières grasses selon le poids :

$$\frac{\text{nombre de gramme de matières grasses (0)}}{\text{nombre de grammes au total (46)}} = \textbf{0 \% de matières grasses selon le poids}$$

% DES CALORIES PROVENANT DES MATIÈRES GRASSES

Voici comment calculer le pourcentage des calories provenant des matières grasses[1] :

11 grammes de protéines	x	4 calories[2] par gramme	=	44 calories provenant des protéines
0 gramme de matières grasses	x	9 calories par gramme	=	0 calorie provenant des matières grasses
2,2 grammes de glucides	x	4 calories par gramme	=	9 calories provenant des glucides
		calories totales	=	53 calories

Pourcentage des calories provenant des matières grasses $\frac{\text{0 calorie}}{\text{53 calories}}$ = **0 % des calories proviennent des matières grasses dans les saucisses Veggie**

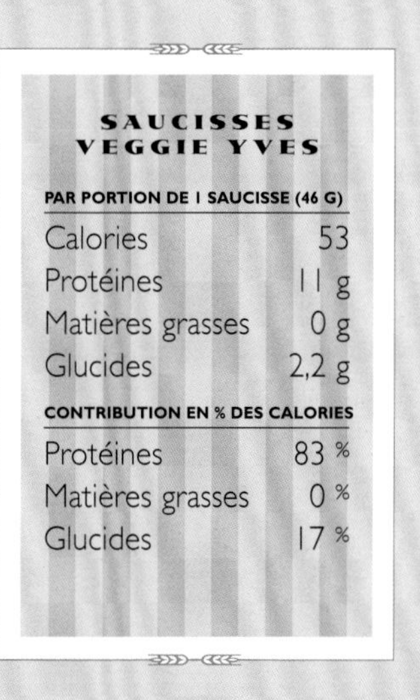

SAUCISSES VEGGIE YVES

PAR PORTION DE 1 SAUCISSE (46 G)	
Calories	53
Protéines	11 g
Matières grasses	0 g
Glucides	2,2 g
CONTRIBUTION EN % DES CALORIES	
Protéines	83 %
Matières grasses	0 %
Glucides	17 %

Dans cette saucisse Veggie, 83 % des calories proviennent des protéines, 7 % proviennent des glucides et 0 % provient des matières grasses.

[1] *Chaque gramme de protéines et de glucides fournit environ 4 calories et chaque gramme de matières grasses, 9 calories. Autrement dit, chaque gramme de matières grasses apporte plus du double des calories que fournissent un gramme de protéines ou un gramme de glucides. Comme nous avons arrondi les valeurs, elles peuvent varier légèrement dans les tableaux.*

[2] *La calorie représente une kilocalorie, soit 1 000 petites calories.*

LES DÉJEUNERS

Oeuf-muffin

Burrito du matin

Oeufs brouillés rancheros

Crêpe ensoleillée aux pommes de terre

Poêlée Veggie

Omelette Veggie jambon-fromage

OEUF-MUFFIN

DÉMARREZ LA JOURNÉE AVEC DES PROTÉINES

Un rapport publié par la FAO (Organisation des Nations Unies pour l'alimentation et l'agriculture) apporte un nouvel éclairage sur la façon dont nous évaluons désormais les protéines dans notre alimentation.* Le document, préparé par un groupe d'experts, résume les résultats de recherches récentes sur les aliments riches en protéines et nous invite à revoir notre manière d'évaluer leur efficacité. Les auteurs y présentent une méthode d'évaluation des protéines appelée « Indice des acides aminés corrigé pour tenir compte de la digestibilité des protéines» (protein digestibility corrected amino acid score). Qu'en est-il au juste ?

L'œuf a longtemps été considéré comme étant la mesure de référence en termes de qualité de protéines. Le nouvel indice ajusté place maintenant la protéine de soja parmi les meilleures en matière de qualité.

Les recettes de déjeuners qui suivent fournissent une bonne dose de protéines à chacun des membres de la famille, pour des avant-midi productifs et pleins d'énergie.

* *Protein Quality Evaluation, Report of the Joint Food and Agriculture Organization of the United Status and the World Health Organization,* F.A.O. Nutrition paper 51, Rome. 1991.

UN DÉJEUNER PRÊT À APPORTER : ET POURQUOI PAS ?

Pas le temps de vous asseoir pour le repas du matin ? La recette de burrito en page 26 vous permettra de préparer un déjeuner sain et nourrissant, tout en étant facile à emporter. L'importance de démarrer la journée avec un déjeuner consistant est maintenant reconnue scientifiquement. En effet, les recherches démontrent que le fait de sauter ce repas essentiel entraîne une diminution de l'efficacité au travail, une baisse du rendement et des capacités mentales, surtout en fin de matinée. Les professeurs constatent aussi que les enfants ayant déjeuné sont de meilleure humeur, arrivent mieux à se concentrer et obtiennent de meilleurs résultats scolaires. Alors, préparez, emballez et partez ! Votre matinée s'en trouvera toute transformée.

OEUF-MUFFIN

AVEC LE VEGGIE BACON FUMÉ YVES

Ce déjeuner riche en protéines vous donnera de l'élan pour débuter la journée ! Voici une petite suggestion de chef pour réussir les œufs pochés : ajoutez un peu de sel et de vinaigre à l'eau de cuisson pour faciliter la coagulation de l'oeuf. Ceci empêchera la dispersion de l'oeuf dans l'eau.

2 tranches	Veggie bacon fumé Yves	1	muffin anglais
5 tasses	eau	1 tranche	fromage cheddar, faible en gras ou régulier (ou fromage de soja)
2 c. soupe	vinaigre blanc		
1 c. thé	sel		
1	œuf	1 tranche	tomate (facultatif)

Pour chaque portion :

1. Dans une casserole, amener l'eau, le vinaigre et le sel à ébullition. Réduire le feu jusqu'à ce que l'eau frémisse doucement.
2. Casser l'œuf dans un petit bol, puis le faire glisser doucement dans l'eau.
3. Laisser cuire l'oeuf jusqu'au degré de cuisson désiré. Retirer à l'aide d'une cuillère trouée.
4. Faire sauter le Veggie bacon fumé dans un poêlon huilé à feu moyen, pendant 1 min de chaque côté.
5. Entre-temps, faire griller le muffin.
6. Garnir une moitié du muffin du Veggie bacon fumé, de l'œuf, du fromage et de la tomate (facultatif). Couvrir le tout avec l'autre moitié.

DONNE 1 PORTION

VARIANTE : Pour réduire le gras encore davantage, remplacez l'œuf entier par deux blancs d'œufs brouillés, cuits dans un poêlon antiadhésif légèrement vaporisé d'huile. Choisissez le fromage de soja et vous aurez là un déjeuner sans cholestérol.

(Voir photo page 23)

ANALYSE NUTRITIONNELLE

PAR PORTION	
Calories	302
Protéines	27 g
Glucides	29 g
Matières grasses	7 g
Fibres alimentaires	2 g

CONTRIBUTION EN % DES CALORIES	
Protéines	38 %
Matières grasses	23 %
Glucides	39 %

YVES VEGGIE CUISINE

BURRITO DU MATIN

AVEC LE VEGGIE BACON FUMÉ YVES

En réalité, les burritos sont parfaits pour le déjeuner, le lunch ou le souper, et même la collation. Roulez votre choix d'ingrédients favoris dans une tortilla de blé et dégustez ! Au déjeuner, accompagnez votre burrito d'un verre de jus d'orange pour maximiser l'absorption du fer.

ANALYSE NUTRIONNELLE

PAR BURRITO

Calories	352
Protéines	18 g
Glucides	44 g
Matières grasses	11 g
Fibres alimentaires	4 g

CONTRIBUTION EN % DES CALORIES

Protéines	21 %
Matières grasses	29 %
Glucides	50 %

PAR BURRITO AVEC BLANCS D'OEUFS

Calories	299
Protéines	16 g
Glucides	44 g
Matières grasses	6 g
Fibres alimentaires	4 g

CONTRIBUTION EN % DES CALORIES

Protéines	22 %
Matières grasses	19 %
Glucides	59 %

2 tranches	Veggie bacon fumé Yves
½-1 c. thé	huile d'olive (ou enduit végétal)
2	œufs moyens (ou 2 blancs d'œufs)
1 pincée	sel
1 pincée	poivre
¼ tasse	salsa de tomates
¼ tasse	oignons verts hachés
¼ tasse	fromage cheddar râpé (facultatif)
2	tortillas de blé entier souples (10 pouces)

1. Dans un grand poêlon antiadhésif à feu moyen, faire revenir le Veggie bacon fumé dans l'huile pendant 1 min de chaque côté. Retirer et découper en fines lanières. Mettre de côté.
2. Dans un bol, battre les œufs à la fourchette avec le sel et le poivre pendant 1 min.
3. Verser les oeufs dans le poêlon et faire cuire en remuant à feu moyen, jusqu'à ce que les oeufs soient brouillés, tout en restant crémeux. Retirer les oeufs du poêlon. Réduire le feu au minimum.
4. Déposer une tortilla dans le poêlon et en garnir le centre de la moitié des œufs, disposés en longueur. Ajouter la moitié de la salsa sur les oeufs, saupoudrer de la moitié des oignons verts, du fromage (facultatif) et de Veggie bacon fumé.
5. Glisser la tortilla garnie sur une planche à découper. Replier une bande de tortilla de 2 pouces vers le centre, puis rouler la tortilla sur sa garniture. Répéter pour l'autre tortilla.

DONNE 2 BURRITOS

VARIANTE : Garnir les burritos de ½ tasse de riz cuit et ½ tasse de chili mexicain Veggie (p.105).

OEUFS BROUILLÉS RANCHEROS

AVEC LES SAUCISSES À DÉJEUNER YVES

Ce plat s'inspire des huevos rancheros, « les œufs du cow-boy » en espagnol. La recette originale se compose de tortillas de maïs frites, garnies d'œufs frits et de salsa. Pour bien démarrer la journée avec une excellente source de protéines, voici une version crémeuse mais allégée, à base de blancs d'œufs ou d'œufs entiers.

1	saucisse à déjeuner Yves (ou 1 tranche de Veggie bacon fumé Yves) coupés en dés
2	blancs d'œufs (ou 2 œufs entiers)
1 c. soupe	yogourt
1 pincée	sel
1 pincée	poivre
1-2 c. thé	huile d'olive
2 c. soupe	tomate fraîche en dés
1 c. soupe	oignon vert haché
2 c. thé	coriandre fraîche hachée
1/4 c. thé	cumin moulu
1 pincée	feuilles d'origan séchées
2 tranches	pain de blé entier, grillées

1. Dans un bol moyen, battre les œufs (blancs ou entiers) à la fourchette avec le yogourt, le sel et le poivre pendant 1 min.
2. Dans un poêlon sur feu moyen, faire revenir la saucisse à déjeuner ou le Veggie bacon fumé dans l'huile pendant 1 min.
3. Ajouter la tomate et l'oignon vert; faire revenir pendant 30 sec.
4. Incorporer la coriandre, le cumin et l'origan.
5. Ajouter le mélange d'œufs. Remuer jusqu'à ce que la préparation soit prise, tout en restant crémeuse. Servir avec le pain grillé.

DONNE 1 PORTIONS

ANALYSE NUTRITIONNELLE

PAR PORTION AVEC BLANCS D'OEUFS

Calories	295
Protéines	26 g
Glucides	33 g
Matières grasses	7 g
Fibres alimentaires	5 g
CONTRIBUTION EN % DES CALORIES	
Protéines	34 %
Matières grasses	22 %
Glucides	44 %

PAR PORTION AVEC OEUFS ENTIERS

Calories	400
Protéines	30 g
Glucides	34 g
Matières grasses	17 g
Fibres alimentaires	5 g
CONTRIBUTION EN % DES CALORIES	
Protéines	30 %
Matières grasses	37 %
Glucides	33 %

CRÊPE ENSOLEILLÉE AUX POMMES DE TERRE

CRÊPE ENSOLEILLÉE AUX POMMES DE TERRE

AVEC LES TRANCHES DE JAMBON VEGGIE YVES

Les pommes de terre et les poivrons rouges sont d'excellentes sources de vitamine C et les produits Yves Veggie Cuisine sont riches en protéines. Cette crêpe est donc un délice des plus nutritifs ! La recette requiert un peu plus de temps, mais elle en vaut la peine. Servez-la au déjeuner ou comme plat d'accompagnement pour le lunch ou le souper.

4 tranches	jambon Veggie Yves (ou Veggie bacon fumé)	½	poivron rouge, tranché en fines lanières
2	grosses pommes de terre, pelées et râpées	¼ c. thé	sel
		1 pincée	poivre noir frais moulu
¼ c. thé	sel	¼ c. thé	feuilles de thym séchées
½	oignon moyen, tranché fin	1 c. soupe	huile d'olive
¼ tasse	oignon vert haché	¼ tasse	crème sure légère (facultatif)

1. Couper les tranches de jambon Veggie ou de Veggie bacon fumé en deux, puis en fines lanières. Mettre de côté.
2. Bien mélanger les pommes de terre et le sel dans un bol. Laisser reposer pendant 10 min.
3. Entre-temps, dans un petit poêlon antiadhésif de 6 pouces, faire sauter les oignons et le poivron avec le sel, le poivre, le thym et le jambon Veggie ou le Veggie bacon fumé dans la moitié de l'huile pendant 5 min, jusqu'à ce que le tout soit tendre. Mettre de côté.
4. Essorer les pommes de terre par petites quantités en les pressant avec les mains (une étape très importante).
5. Ajouter le reste de l'huile dans le poêlon et y aplatir la moitié des pommes de terre. Étaler les légumes sur le dessus, puis couvrir de l'autre moitié des pommes de terre, en pressant pour former une crêpe bien ronde.
6. Laisser dorer sans remuer à feu moyen pendant 5 min. Renverser une assiette sur le poêlon. Retourner le poêlon afin de transférer la crêpe dans l'assiette. Faire glisser la crêpe dans le poêlon et laisser dorer l'autre côté pendant 5 min.
7. Servir chaud avec la crème sure (facultatif).

DONNE 2 PORTIONS

ANALYSE NUTRITIONNELLE

PAR PORTION	
Calories	263
Protéines	12 g
Glucides	40 g
Matières grasses	9 g
Fibres alimentaires	5 g
CONTRIBUTION EN % DES CALORIES	
Protéines	18 %
Matières grasses	24 %
Glucides	58 %

POÊLÉE VEGGIE

AVEC LE SANS-VIANDE HACHÉE YVES

À l'origine, les poêlées étaient une façon traditionnelle d'utiliser les restes des repas. Cette recette est toutefois si délicieuse que vous n'aurez sûrement pas de restes après le repas ! Pour un maximum de saveur, faites dorer lentement les légumes et les pommes de terre, avant d'ajouter le sans-viande hachée Yves.

ANALYSE NUTRITIONNELLE

PAR PORTION	
Calories	382
Protéines	23g
Glucides	57g
Matières grasses	8g
Fibres alimentaires	9g

CONTRIBUTION EN % DES CALORIES	
Protéines	24 %
Matières grasses	17 %
Glucides	59 %

1 paquet	sans-viande hachée Yves	6 tasses	pommes de terre Idaho cuites et coupées en cubes (environ 4 pommes de terre)
2 c. soupe	chapelure		
½	oignon moyen, haché		
2 c. soupe	huile d'olive	¼ c. thé	sel
1 tasse	chou coupé en dés	1 pincée	poivre

1. Dans un bol, émietter le sans-viande hachée avec une fourchette, puis incorporer la chapelure et bien mélanger. Mettre de côté.
2. Dans un poêlon sur feu moyen, faire dorer l'oignon dans l'huile pendant 5 min. Ajouter le chou et les pommes de terre; poursuivre la cuisson jusqu'à ce que les pommes de terre commencent à être croustillantes.
3. Ajouter le mélange de sans-viande hachée ainsi que le poivre et le sel. Faire cuire pendant 5 min, en remuant de temps en temps. Assaisonner au goût.

DONNE 4 PORTIONS

VARIANTE : Pour donner de la couleur à ce plat, ajouter ¼ de tasse de poivron rouge coupé en dés avec le chou et les pommes de terre.

OMELETTE VEGGIE JAMBON-FROMAGE

AVEC LES TRANCHES DE JAMBON VEGGIE YVES

Les omelettes sont de véritables passe-partout pour le déjeuner, le lunch ou le brunch. Vous pouvez y incorporer toutes sortes d'ingrédients savoureux comme le jambon Veggie ou les saucisses à déjeuner Yves. Pour de meilleurs résultats, utilisez une poêle antiadhésive ou un bon vieux poêlon en fonte. Amusez-vous à varier les légumes (asperges, tomates, champignons, etc.), et en les combinant avec des herbes (basilic, aneth, estragon, etc.). Si vous le souhaitez, équilibrez la teneur en matières grasses des omelettes en optant, au cours du reste de la journée, pour des produits céréaliers, des légumes, des fruits et d'autres aliments faibles en gras, tels les produits Yves Veggie Cuisine.

2 tranches	jambon Veggie Yves (ou 2 saucisses à déjeuner) coupé en dés
2	oeufs
1 pincée	sel
1 pincée	poivre
1 c. thé	huile d'olive
2 c. soupe	fromage cheddar râpé
1 c. soupe	oignon vert finement haché
2 tranches	pain de blé entier, grillées

1. Dans un bol, battre les œufs à la fourchette avec le sel et le poivre jusqu'à ce que le mélange soit mousseux. Mettre de côté.
2. Faire chauffer l'huile dans un poêlon à feu moyen-élevé. Verser les œufs et laisser cuire en remuant pendant environ 15 sec ou jusqu'à ce que l'omelette soit prise.
3. Étaler le jambon Veggie, le fromage et l'oignon vert. Poursuivre la cuisson pendant 30 sec (mais pas plus). À l'aide d'une spatule, plier l'omelette en deux et la faire glisser dans une assiette. Servir avec le pain grillé, taillé en pointes.

DONNE 1 PORTION

ANALYSE NUTRITIONNELLE

PAR PORTION	
Calories	417
Protéines	27 g
Glucides	31 g
Matières grasses	21 g
Fibres alimentaires	4g

CONTRIBUTION EN % DES CALORIES	
Protéines	26 %
Matières grasses	46 %
Glucides	28 %

YVES VEGGIE CUISINE

HORS-D'ŒUVRE ET BOUCHÉES

Tortillas Oriana au bacon Veggie

Boulettes Veggie à la suédoise

Pizza hawaïenne Yves

Nachos à la Veggie

Salade antipasto

Gyozas (bouchées wonton)

Trempette pour gyozas

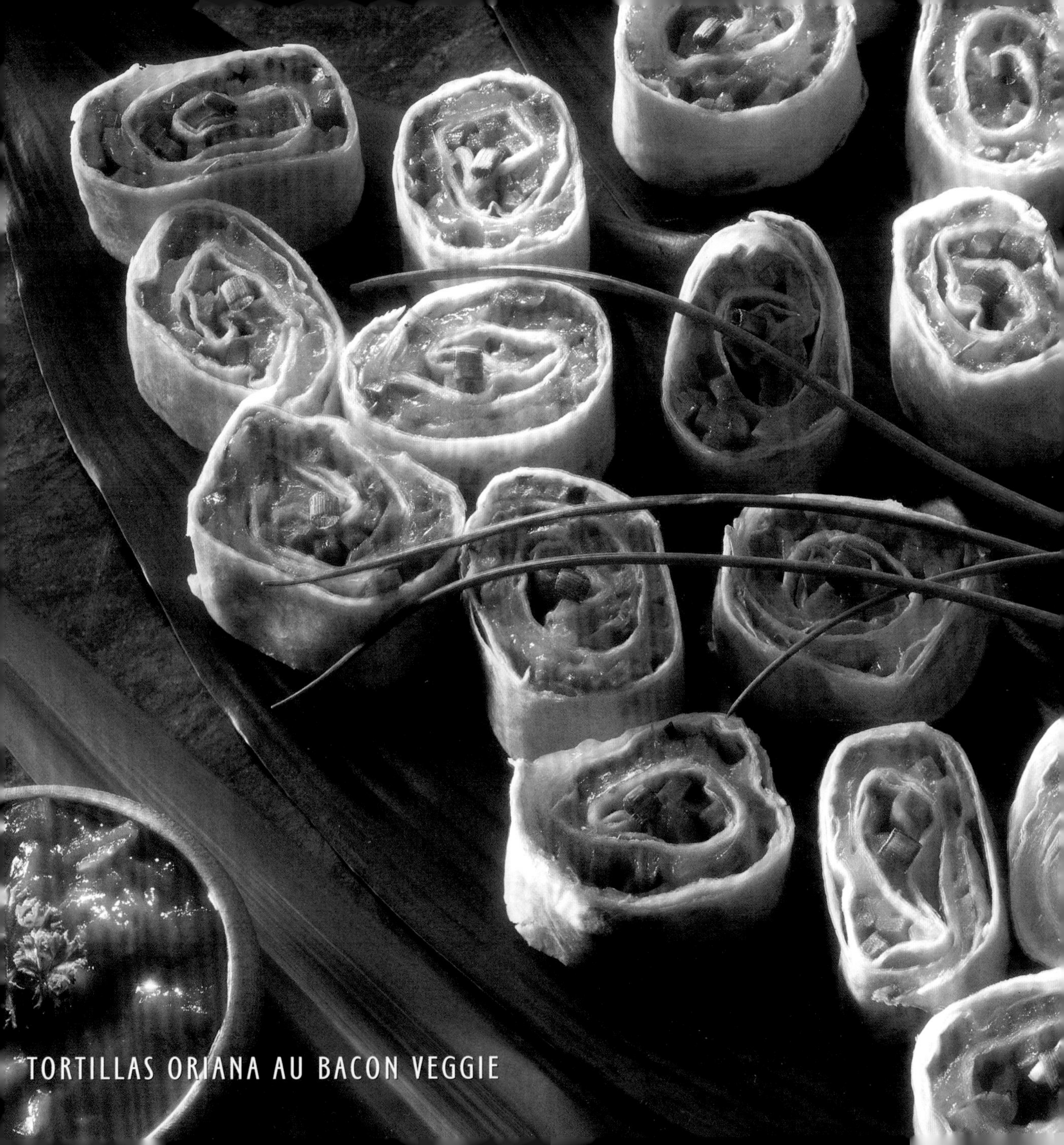

TORTILLAS ORIANA AU BACON VEGGIE

OPTEZ POUR LE GRIGNOTAGE SANTÉ !

Voici des bouchées faciles à préparer qui vous procureront de l'énergie entre les repas. Les enfants ayant un petit appétit, les adultes occupés et les athlètes y trouveront tous une source de protéines, d'énergie, de vitamines et de minéraux. Assurez-vous que les collations font partie intégrante de votre alimentation !

LA PIZZA YVES : UN ALIMENT SAIN, POUR PETITS ET GRANDS

Un mets peut-il à la fois :

- ❏ être le plat préféré des enfants et des adultes,
- ❏ se préparer en 8 minutes, même par des enfants,
- ❏ être composé d'aliments provenant des quatre groupes ?

Oui ! Voyez la recette en page 37 pour une pizza super nutritive. Si vous manquez de temps, utilisez une croûte prête-à-utiliser.

LE PAIN, LES CÉRÉALES, LE RIZ ET LES PÂTES

Tous les produits céréaliers sont riches en glucides complexes, la source d'énergie préférée de notre organisme. Les enfants devraient tirer la moitié de toutes leurs calories sous cette forme, y compris la croûte à pizza !

LES FRUITS ET LES LÉGUMES

Ces aliments colorés regorgent de nutriments essentiels indispensables pour un corps solide, une bonne résistance immunitaire et un système nerveux en santé. Le poivron vert contient des antioxydants comme la vitamine C et le bêta-carotène. L'ananas ajoute encore plus de vitamine C. Tant qu'aux champignons, ils sont une bonne source d'oligo-éléments.

LE LAIT ET LES PRODUITS LAITIERS

Le calcium du fromage contribue à construire des os et des dents solides et à maintenir le bon fonctionnement des systèmes musculaire et nerveux.

LES SUBSTITUTS DE LA VIANDE, LES LÉGUMINEUSES ET LES NOIX

Les protéines des aliments cités ci-haut sont utilisées pour réparer et entretenir la peau, fabriquer l'hémoglobine, les anticorps, les enzymes et les hormones. Le Veggie bacon fumé Yves renferme beaucoup de protéines (16 g pour 3 tranches) et est enrichi de vitamine B12.

N'oubliez pas : les collations peuvent être à la fois simples et nutritives !

TORTILLAS ORIANA AU BACON VEGGIE

AVEC LE VEGGIE BACON FUMÉ YVES

Si facile à préparer, cette recette présente une combinaison de saveurs et de textures des plus intéressantes. Préparez ces tortillas à l'avance afin qu'elles soient plus faciles à découper. À servir accompagnées de salsa, de crème sure ou de guacamole.

8 tranches	Veggie bacon fumé Yves	4	tortillas de blé souples (10 pouces)
½ tasse	sauce tomate cajun ou épicée	½ tasse	fromage mozzarella, faible en gras ou régulier (ou fromage de soja), râpé

1. Badigeonner chaque tortilla de 2 c. à soupe de sauce tomate.
2. Disposer 2 tranches de Veggie bacon fumé, l'une à côté de l'autre, sur chaque tortilla et garnir de 2 c. à soupe de fromage.
3. Rouler les tortillas bien fermement et réfrigérer jusqu'au moment de servir. Les envelopper dans une pellicule de plastique, si préparées la veille.
4. Déballer les tortillas. Cuire au four à 350°F, sur une plaque de cuisson tapissée de papier d'aluminium, pendant 12 min ou jusqu'à ce que le fromage soit fondu. Retirer du four et couper en rondelles de 1 pouce d'épaisseur.
5. Servir accompagnées de salsa, de crème sure ou de guacamole (facultatif).

DONNE 3-4 PORTIONS

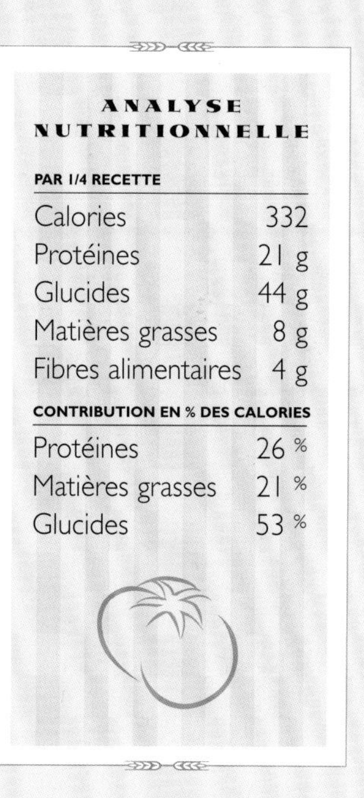

ANALYSE NUTRITIONNELLE

PAR 1/4 RECETTE	
Calories	332
Protéines	21 g
Glucides	44 g
Matières grasses	8 g
Fibres alimentaires	4 g

CONTRIBUTION EN % DES CALORIES	
Protéines	26 %
Matières grasses	21 %
Glucides	53 %

(Voir photo p. 33)

BOULETTES VEGGIE À LA SUÉDOISE

AVEC LE SANS-VIANDE HACHÉE D'YVES

Ces boulettes Veggie en sauce crémeuse font d'excellents amuse-gueules. Servies en plat principal sur du riz ou des nouilles, elles peuvent aussi rassasier trois personnes. L'aneth leur donne une saveur très agréable.

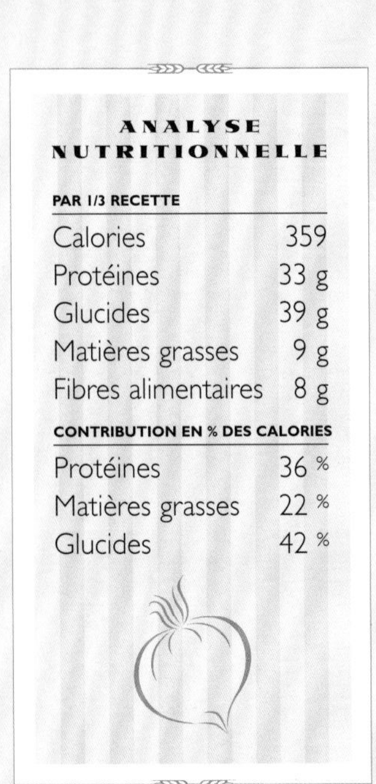

ANALYSE NUTRITIONNELLE

PAR 1/3 RECETTE	
Calories	359
Protéines	33 g
Glucides	39 g
Matières grasses	9 g
Fibres alimentaires	8 g
CONTRIBUTION EN % DES CALORIES	
Protéines	36 %
Matières grasses	22 %
Glucides	42 %

1	recette de boulettes Veggie (voir p. 91)	1 c. thé	aneth frais
½	oignon moyen, haché	¼ c. thé	origan séché
1-2 c. soupe	huile d'olive	¼ c. thé	muscade râpée
½ tasse	bouillon (ou vin blanc)	⅛ c. thé	poivre
¼ tasse	farine tout usage	3 c. soupe	ketchup
3 tasses	bouillon de légumes	1 ½ c. soupe	moutarde de Dijon
		¼ tasse	crème sure légère

1. Préparer les boulettes Veggie (recette p. 91).
2. Entre-temps, dans un poêlon sur feu moyen, faire attendrir l'oignon dans l'huile pendant 5 min.
3. Ajouter 1/2 tasse de bouillon (ou de vin), puis faire réduire de moitié (environ 4 min). Incorporer la farine et laisser cuire en remuant pendant 3 min.
4. Retirer du feu pendant 2 minutes et incorporer peu à peu ½ tasse de bouillon de légumes. Remettre sur le feu et incorporer le reste du bouillon.
5. Ajouter le reste des ingrédients sauf la crème sure.
6. Amener à ébullition, réduire le feu et laisser mijoter pendant 10 min.
7. Dans un petit bol, incorporer 1 tasse du jus de cuisson à la crème sure (méthode p. 98). Verser le tout dans le poêlon avec les boulettes en remuant et réchauffer sans faire bouillir.

DONNE 12-18 BOULETTES

VARIANTE: Pour un plat principal, servir sur du riz, des nouilles aux œufs ou des fettucinis.

PIZZA HAWAÏENNE YVES

AVEC LE VEGGIE BACON FUMÉ YVES

Pour préparer cette pizza à croûte épaisse, utilisez la savoureuse recette de pâte en page 102. Les pâtes à pizza « prêtes-à-utiliser » disponibles dans les supermarchés peuvent aussi très bien faire l'affaire. Préparez les pizzas en famille ou avec les invités pour une mise en appétit des plus joyeuses !

1 paquet	Veggie bacon fumé Yves (ou tranches de jambon Veggie) taillé en carrés de ½ pouce	1½ tasse	sauce à pizza au choix
1 c. thé	huile d'olive (ou enduit végétal)	1 tasse	morceaux d'ananas parfaitement égouttés
1 recette	pâte à pizza (voir p. 102) ou 2 pâtes à pizza prête-à-utiliser (12 pouces)	½ tasse	fromage mozzarella faible en gras râpé
		¼ tasse	fromage parmesan râpé
		2 c. thé	huile d'olive (facultatif)

1. Préchauffer le four à 425°F.
2. Huiler légèrement une plaque de cuisson (10x15 pouces).
3. Étendre la pâte sur toute la surface de la plaque.
4. Badigeonner de sauce à pizza.
5. Garnir d'ananas, de Veggie bacon fumé et des deux fromages.
6. Badigeonner les rebords de la pâte à pizza de 2 c. à thé d'huile (facultatif).
7. Faire cuire au four pendant 16 min ou jusqu'à ce que la pâte soit dorée (ou suivre les indications sur l'emballage de la pâte).
8. Couper en carrés de 3 pouces.

DONNE 15 CARRÉS

VARIANTE: Remplacer le Veggie bacon fumé par 1 à 1½ paquet de Veggie pizza pepperoni Yves.

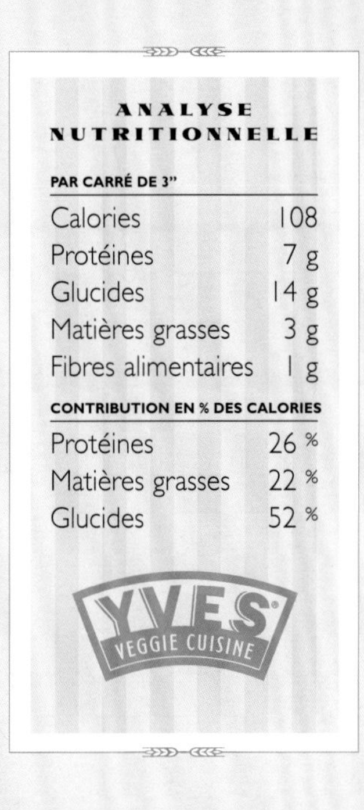

ANALYSE NUTRITIONNELLE

PAR CARRÉ DE 3"	
Calories	108
Protéines	7 g
Glucides	14 g
Matières grasses	3 g
Fibres alimentaires	1 g
CONTRIBUTION EN % DES CALORIES	
Protéines	26 %
Matières grasses	22 %
Glucides	52 %

NACHOS À LA VEGGIE

AVEC LE SANS-VIANDE HACHÉE YVES

D'après vous, les nachos font-ils une collation nourrissante ? Oui, si vous suivez cette recette ! Le sans-viande hachée Yves vous procure du fer, du zinc et des protéines. Le fromage fournit du calcium. Les croustilles tortillas représentent une portion de céréales et la salsa de tomates, les oignons et les olives ajoutent même une touche de légumes. Allez-y, grignotez !

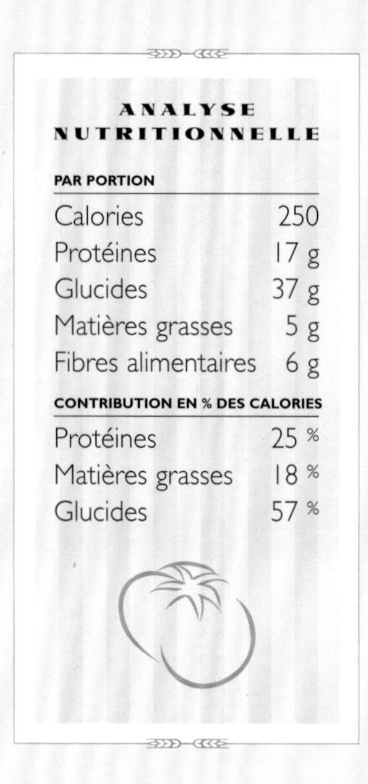

ANALYSE NUTRITIONNELLE

PAR PORTION	
Calories	250
Protéines	17 g
Glucides	37 g
Matières grasses	5 g
Fibres alimentaires	6 g

CONTRIBUTION EN % DES CALORIES	
Protéines	25 %
Matières grasses	18 %
Glucides	57 %

½ paquet	sans-viande hachée Yves
¼ tasse	salsa de tomates
⅛ c. thé	cumin moulu
4 tasses (5 oz)	croustilles tortillas cuites au four ou ordinaires
½ tasse	fromage mozzarella faible en gras râpé
¼ tasse	olives noires tranchées
¼ tasse	oignons verts hachés

GARNITURES (facultatif)

½ tasse	salsa de tomates
½ tasse	crème sure

1. Préchauffer le four à 400°F.
2. Dans un bol moyen, émietter le sans-viande hachée avec une fourchette et incorporer la salsa et le cumin. Mettre de côté.
3. Disposer la moitié des croustilles dans un plat allant au four.
4. Saupoudrer la moitié des ingrédiants suivants sur les croustilles : sans-viande hachée, fromage, olives et oignons verts.
5. Recouvrir du reste des croustilles et garnir de l'autre moitié des ingrédients en terminant avec le fromage.
6. Faire cuire au four pendant 10-15 min ou jusqu'à ce que le fromage soit fondu et que les croustilles commencent à dorer.
7. Servir chaud accompagné de salsa et de crème sure comme garnitures (facultatif).

DONNE 4 PORTIONS

SALADE ANTIPASTO

AVEC LES TRANCHES DE VEGGIE PEPPERONI YVES

Antipasto signifie « avant le repas » en italien. On le compare aussi aux baisers qui précèdent les grandes histoires d'amour. Romantique, non ? Relevez votre antipasto de votre vinaigrette légère préférée ou de vinaigrette balsamique (page 55). Entrée, collation ou amuse-gueule lors d'une réception, l'antipasto peut aussi tenir lieu de lunch, accompagné de pain et d'un bol de soupe.

4 tranches	Veggie pepperoni Yves (ou Tranches Déli)	3	olives vertes
3 feuilles	laitue frisée	3	olives noires
1 tasse	haricots verts, à peine cuits	½ tasse	fromage féta en cubes (facultatif)
6 quartiers	tomates	2-3 c. soupe	vinaigrette faible en gras ou vinaigrette balsamique (p. 55)
3	cœurs d'artichaut, en demies		

1. Tailler le Veggie pepperoni (ou les tranches déli) en lanières de ¼ pouce et mettre de côté.
2. Étaler la laitue dans une assiette de service et y disposer joliment les légumes. Garnir de fromage (facultatif) et des lanières de Veggie pepperoni.
3. Arroser de vinaigrette.

DONNE 2 PORTIONS

VARIANTE: Ajouter les ingrédients suivants, au goût :

- ❑ Aubergines, courgettes, poivrons doux rouges ou jaunes grillés ou rôtis.
- ❑ Tomates séchées, champignons ou autres légumes marinés.

ANALYSE NUTRITIONNELLE

PAR PORTION (SANS VINAIGRETTE ET FROMAGE)	
Calories	125
Protéines	12 g
Glucides	16 g
Matières grasses	2 g
Fibres alimentaires	4 g
CONTRIBUTION EN % DES CALORIES	
Protéines	35 %
Matières grasses	16 %
Glucides	49 %

PAR PORTION (AVEC FROMAGE)	
Calories	225
Protéines	17 g
Glucides	17 g
Matières grasses	10 g
Fibres alimentaires	4 g
CONTRIBUTION EN % DES CALORIES	
Protéines	29 %
Matières grasses	40 %
Glucides	31 %

GYOZAS (BOUCHÉES WONTON)

AVEC LES ESCALOPES JARDINIÈRE YVES

Préparer des gyozas, c'est comme emballer de petits cadeaux ! Les enfants (tout comme vous) s'amuseront donc à les préparer. Nous suggérons de les servir avec une sauce de style tériyaki, mais votre sauce aux prunes, barbecue ou aux arachides préférée sera tout aussi exquise. Les pâtes à wonton, faites à partir de farine, sont de formes circulaires ou carrés. Elles sont vendues dans les grands marchés d'alimentation et dans les épiceries asiatiques. Ces gyozas se congèlent bien : faites-en en quantité ! Pour satisfaire une fringale, ou des invités surprise, vous n'aurez qu'à les réchauffer pour obtenir en un tournemain des amuse-gueules santé.

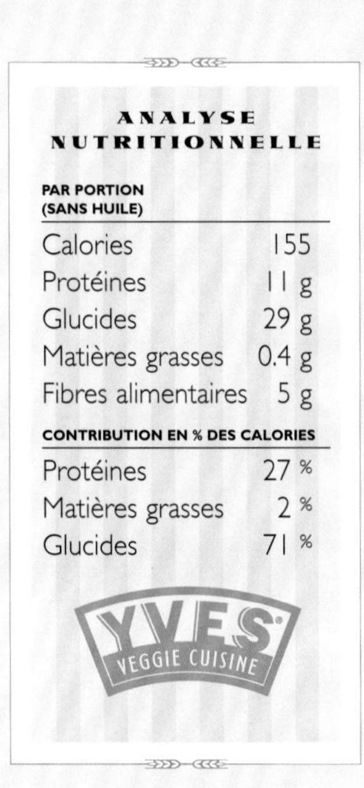

ANALYSE NUTRITIONNELLE

PAR PORTION (SANS HUILE)	
Calories	155
Protéines	11 g
Glucides	29 g
Matières grasses	0.4 g
Fibres alimentaires	5 g

CONTRIBUTION EN % DES CALORIES	
Protéines	27 %
Matières grasses	2 %
Glucides	71 %

4	escalopes jardinière Yves	1 paquet	pâtes à wonton (65)
1/4 tasse	oignons verts hachés	1/4 tasse	eau
1 c. soupe	gingembre frais haché	Un soupçon	huile d'olive (ou enduit végétal)
1 c. soupe	coriandre fraîche hachée		
3 c. soupe	sauce tériyaki		sauce trempette pour gyozas (page de droite)
Au goût	sel et poivre		

1. Dans un bol, émietter à la fourchette les escalopes jardinière. Incorporer les oignons verts, le gingembre, la coriandre, la sauce tériyaki, le sel et le poivre et bien mélanger.
2. Étaler les pâtes à wonton sur le comptoir et badigeonner le pourtour de chacune d'un peu d'eau.
3. Déposer une cuillerée de la préparation jardinière au centre de chaque pâte. Replier les pâtes en deux sur la préparation et presser fermement le pourtour pour sceller.
4. Dans un poêlon antiadhésif légèrement huilé, faire dorer les gyozas pendant 2 min de chaque côté. Ajouter 1/4 tasse d'eau et couvrir. Laisser cuire à la vapeur à feu moyen pendant 2-3 min, jusqu'à évaporation. Servir avec la trempette pour gyozas ou une autre sauce.

DONNE 4 PORTIONS

TREMPETTE POUR GYOZAS

Il existe deux sortes de sauce tériyaki : la sauce plus épaisse, pour badigeonner les viandes grillées, et la sauce claire, ressemblant à la sauce soja, utilisée dans cette recette. Pour varier, relevez la saveur de la sauce avec du gingembre ou de la coriandre hachés.

1 tasse	sauce tériyaki claire	2 c. soupe	cassonade
1 c. soupe	huile de sésame grillé	½ tasse	eau

1. Dans une casserole, mélanger la sauce tériyaki, l'huile et la cassonade. Amener à ébullition, réduire le feu et laisser mijoter pendant 5 min.
2. Retirer du feu et ajouter l'eau. Laisser refroidir pendant 2 min. Servir avec les gyozas. Cette sauce peut se conserver jusqu'à 3 semaines au réfrigérateur.

DONNE 1 TASSE

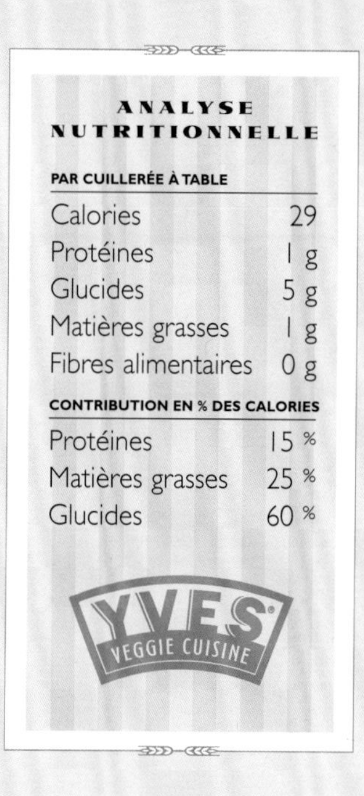

ANALYSE NUTRITIONNELLE

PAR CUILLERÉE À TABLE	
Calories	29
Protéines	1 g
Glucides	5 g
Matières grasses	1 g
Fibres alimentaires	0 g
CONTRIBUTION EN % DES CALORIES	
Protéines	15 %
Matières grasses	25 %
Glucides	60 %

FAIRE LA FÊTE SANS PRENDRE DU POIDS

Impossible ? Non ! Voici six conseils pour y parvenir.

1. Faites de l'exercice avant la réception : un métabolisme accéléré brûle plus de calories.
2. Il est plus difficile de contrôler son comportement lorsque le niveau de sucre sanguin est bas.
3. Pour les repas où tous contribuent, apportez quelque chose de délicieux et faible en gras comme des tranches Déli ou du Veggie pepperoni Yves, avec du pain de seigle et de la moutarde de Dijon. Léger, mais débordant de saveur !
4. Éloignez-vous du bol de noix mélangées et du plateau de fritures. Munissez-vous de crudités et de gyozas Yves, et dirigez-vous vers l'autre extrémité de la pièce.
5. Buvez de l'eau pétillante ou ajoutez-en aux boissons à forte teneur en calories pour les diluer.
6. Profitez des autres plaisirs, comme la musique, la danse et la bonne compagnie.

Soupes & Salades

Bortsch à l'aneth frais

Soupe aux pois verts cassés

Soupe au brocoli et pommes de terre

Soupe minestrone

Soupe alsacienne aux lentilles

Soupes aux légumes à la hongroise

Salade de pâtes primavera

Salade César

Vinaigrette César

Salade du chef

Vinaigrette balsamique

Salade d'épinards

Vinaigrette crémeuse au basilic

Mayonnaise à l'aneth

Vinaigrette aux tomates et basilic

Miettes de Veggie Bacon Fumé

BORTSCH À L'ANETH FRAIS

VEDETTES DE LA NUTRITION : LES VITAMINES ANTIOXYDANTES A, C & E

Saviez-vous que l'oxygène, pourtant si essentiel à la vie, représente aussi l'une des plus grandes menaces pour notre organisme? Au cours des nombreux mécanismes normaux dans notre corps, des molécules d'oxygène perdent un électron et deviennent des radicaux libres, instables et potentiellement dommageables. Les radicaux libres seraient impliqués dans plusieurs maladies, du rhume au cancer, en endommageant l'ADN et la structure des cellules. Les propriétés réparatrices des antioxydants peuvent souvent prévenir ces dommages, voire les renverser. Aussi, les scientifiques s'intéressent beaucoup aux antioxydants et à leur capacité de stabiliser les radicaux libres dans l'organisme en leur fournissant un électron.

Le bêta-carotène, une forme de vitamine A, protège les cellules en agissant comme un piège à radicaux libres. Il aide à prévenir une étape marquante de la maladie cardiaque : l'oxydation du cholestérol des LDL (le « mauvais » cholestérol). On trouve le bêta-carotène et d'autres antioxydants dans les fruits et les légumes de couleurs jaune, orange et vert éclatant, comme les légumes verts feuillus, les carottes, les patates sucrées, la courge et la papaye.

L'acide ascorbique, que nous apportent les légumes et les agrumes, est plus couramment appelé vitamine C. Il agit comme antioxydant en piégeant et en éliminant les radicaux libres dans tout l'organisme.

La vitamine E, présente dans les légumes, les noix, les graines, les huiles, les fèves de soya et les grains entiers, protège les globules rouges de l'oxydation. Elle pourrait aussi atténuer les brûlures causées par le soleil, ainsi que les rides résultant de l'exposition au soleil.

Lors de votre prochaine visite au comptoir des fruits et légumes, laissez-vous tenter par les plus colorés car ce sont les plus riches en antioxydants. Remplissez-en votre panier et ajoutez-y des noix et des aliments à base de soya. Les radicaux libres n'auront qu'à bien se tenir !

BORTSCH À L'ANETH FRAIS

AVEC LE VEGGIE BACON FUMÉ YVES

Originaire de Russie et de Pologne, la soupe de betteraves appelée bortsch ajoute une touche de couleur vive à l'heure du souper. Son fumet délicat provient du Veggie bacon fumé Yves, mélangé à l'aneth et à une grande variété de légumes (de quoi vous fournir vos portions quotidiennes de légumes). Servez-le chaud avec du pain de seigle, en hiver, ou froid, en été, accompagné d'une salade croustillante.

2 tranches	Veggie bacon fumé Yves
1-2 c. soupe	huile d'olive
1	oignon moyen, haché
½ tasse	carottes coupées en dés
½ tasse	céleri coupé en dés
2 c. soupe	pâte de tomate
4 tasses	bouillon de légumes
2 tasses	betteraves coupées en dés
1 tasse	chou vert haché
1 tasse	pommes de terre coupées en dés
1	feuille de laurier
1 tasse	crème sure (facultatif)
2 c. soupe	persil frais haché
2 c. soupe	aneth frais haché (et un peu plus, pour garnir)
2 c. thé	vinaigre de vin rouge
⅛ c. thé	poivre noir
4	quartiers de citron (facultatif)

1. Dans une casserole, faire sauter le Veggie bacon fumé dans l'huile pendant 1 min. de chaque côté. Retirer du feu. Couper en carrés de 1/2 pouce et mettre de côté.
2. Faire sauter l'oignon, les carottes et le céleri dans la casserole pendant 3 min.
3. Incorporer la pâte de tomate et laisser cuire pendant 1 min. Ajouter le Veggie bacon fumé, le bouillon, les betteraves, le chou, les pommes de terre et le laurier. Laisser mijoter pendant 10 min ou jusqu'à ce que les légumes deviennent tendres.
4. Mélanger la crème sure, s'il y a lieu, avec le persil, l'aneth, le vinaigre et le poivre. Diluer avec 1 tasse du bouillon chaud, puis incorporer le tout à la soupe.
5. Ajuster l'assaisonnement. Réchauffer sans laisser bouillir. Servir garni d'aneth et accompagné de citron (facultatif).

DONNE 4 - 6 PORTIONS

(Voir photo p. 43)

ANALYSE NUTRITIONNELLE

PAR 1/4 RECETTE	
Calories	143
Protéines	8 g
Glucides	21 g
Matières grasses	5 g
Fibres alimentaires	4 g
CONTRIBUTION EN % DES CALORIES	
Protéines	20 %
Matières grasses	27 %
Glucides	53 %

PAR PORTION AVEC CRÈME	
Calories	263
Protéines	10 g
Glucides	25 g
Matières grasses	17 g
Fibres alimentaires	4 g
CONTRIBUTION EN % DES CALORIES	
Protéines	13 %
Matières grasses	52 %
Glucides	35 %

SOUPE AUX POIS VERTS CASSÉS

AVEC LE VEGGIE BACON FUMÉ YVES

ANALYSE NUTRITIONNELLE

PAR PORTION	
Calories	273
Protéines	20 g
Glucides	41 g
Matières grasses	6 g
Fibres alimentaires	14 g

CONTRIBUTION EN % DES CALORIES	
Protéines	26 %
Matières grasses	18 %
Glucides	56 %

Dès le 11e siècle, les pois figuraient parmi les aliments de base du régime alimentaire britannique. Des comptines anciennes révèlent que les Britanniques mangeaient parfois leur soupe aux pois froide. Nous la préférons bien chaude et, comme ici, généreuse en protéines, vitamine A, thiamine, niacine, folate, fer, magnésium, phosphore, zinc et fibres.

2 tranches	Veggie bacon fumé Yves coupées en dés	1 tasse	pois verts cassés secs, rincés
½ tasse	carottes coupées en dés	3	feuilles de laurier
½ tasse	céleri coupé en dés	4	clous de girofle
½	oignon moyen, haché	½ c. thé	sel
2	gousses d'ail, hachées fin	⅛ c. thé	poivre noir
1 c. soupe	huile d'olive	1 c. soupe	persil frais haché
8 tasses	bouillon de légumes		

1. Dans une casserole sur feu moyen, faire sauter les carottes, le céleri, l'oignon et l'ail dans l'huile pendant 5 min.
2. Incorporer le bouillon, les pois, le laurier et le clou de girofle. Amener à ébullition, couvrir, réduire le feu et laisser mijoter pendant 50-60 min ou jusqu'à ce que les pois soient réduits en purée.
3. Ajouter le Veggie bacon fumé et réchauffer le tout. Ajouter du bouillon (ou de l'eau) si la consistance est trop épaisse.
4. Assaisonner au goût. Garnir de persil et servir.

DONNE 4 PORTIONS

SOUPE AU BROCOLI ET POMMES DE TERRE

AVEC LE VEGGIE BACON FUMÉ YVES

La bonne réputation du brocoli s'explique bien : il regorge de composés phytochimiques, des substances végétales qui nous protègent des maladies. De plus, le calcium contenu dans le brocoli, ainsi que dans le chou frisé, le chou cavalier, le pak-choï, le chou chinois et le gombo, est bien absorbé par l'organisme. Le calcium de cette soupe toute simple vient à la fois du brocoli et du lait. Conservez les tiges de brocoli : une fois pelées et cuites à la vapeur, elles seront tendres et délicieuses.

2 tranches	Veggie bacon fumé Yves coupées en carrés de ½ pouce
1-2 c. soupe	huile d'olive
½	oignon moyen, haché
½ tasse	céleri coupé en dés
3 c. soupe	farine tout usage
5 tasses	bouillon de légumes chaud
2 tasses	pommes de terre coupées en dés de ¼ pouce
2 tasses	petits bouquets de brocoli
1 tasse	lait chaud
½ tasse	crème chaude (facultatif)
¼ c. thé	sel
1 pincée	poivre
1 c. soupe	persil frais haché

1. Dans une casserole sur feu moyen, faire sauter le Veggie bacon fumé, l'oignon et le céleri dans l'huile pendant 5 min, jusqu'à ce que l'oignon se ramollise.
2. Incorporer la farine et laisser cuire pendant 2 min en remuant constamment. Retirer la casserole du feu.
3. Incorporer 1/2 tasse de bouillon et remuer jusqu'à ce que le mélange devienne homogène. Incorporer le reste du bouillon.
4. Remettre sur le feu et ajouter les pommes de terre. Amener à ébullition, puis réduire le feu et laisser mijoter pendant 10 min.
5. Ajouter le brocoli et laisser cuire pendant 5 min.
6. Dans un bol, mélanger le lait et la crème (facultatif) et les assaisonnements. Incorporer 1-2 tasses de liquide chaud de cuisson à ce mélange, puis verser le tout dans la soupe (cette méthode prévient la formation de grumeaux).
7. Réchauffer, sans laisser bouillir. Ajuster l'assaisonnement et servir.

DONNE 4 PORTIONS

ANALYSE NUTRITIONNELLE

PAR PORTION	
Calories	202
Protéines	11 g
Glucides	28 g
Matières grasses	7 g
Fibres alimentaires	3 g
CONTRIBUTION EN % DES CALORIES	
Protéines	20 %
Matières grasses	29 %
Glucides	51 %

YVES VEGGIE CUISINE

PAR PORTION AVEC CRÈME	
Calories	263
Protéines	11 g
Glucides	28 g
Matières grasses	13 g
Fibres alimentaires	3 g
CONTRIBUTION EN % DES CALORIES	
Protéines	16 %
Matières grasses	43 %
Glucides	41 %

SOUPE MINESTRONE

AVEC LE VEGGIE BACON FUMÉ YVES

La soupe minestrone (minestrone signifie «grosse soupe» en italien) est l'un des plats de base du régime alimentaire méditerranéen. Chacun la prépare un peu à sa guise, en modifiant les proportions d'haricots, de pâtes, de tomates ou d'autres ingrédients : n'hésitez pas à en faire autant ! Cette soupe fournit des vitamines, des minéraux et des protéines en abondance, tout en restant à faible teneur en matières grasses.

ANALYSE NUTRITIONNELLE

PAR PORTION	
Calories	190
Protéines	10 g
Glucides	31 g
Matières grasses	4 g
Fibres alimentaires	7 g

CONTRIBUTION EN % DES CALORIES	
Protéines	20%
Matières grasses	18%
Glucides	62%

- 3 tranches — Veggie bacon fumé Yves (ou tranches de Veggie pepperoni coupées en dés de ½ pouce
- 1 — oignon moyen, haché
- 1 tasse — carottes coupées en dés
- 1 tasse — céleri coupé en dés
- 2 — gousses d'ail, hachées fin
- 1-2 c. soupe — huile d'olive
- 5 tasses — bouillon de légumes
- 1 tasse — chou vert haché
- 1 tasse — pommes de terre coupées en dés
- 1 tasse — courgettes coupées en dés
- 2 tasses — tomates fraîches (ou en conserve) coupées en dés
- ¼ tasse — macaronis secs
- 2 c. soupe — pâte de tomate
- 1 c. thé — basilic séché
- ½ c. thé — sel
- 1 pincée — poivre
- ½ tasse — haricots blancs cuits
- 2 c. soupe — persil frais haché

1. Dans une grande casserole sur feu moyen, faire sauter l'oignon, les carottes, le céleri et l'ail dans l'huile pendant 5 min.
2. Ajouter le reste des ingrédients sauf les haricots, le Veggie bacon fumé et le persil.
3. Couvrir, réduire le feu et laisser mijoter pendant 15-20 min ou jusqu'à ce que les macaronis et les pommes de terre soient cuits.
4. Incorporer les haricots et le Veggie bacon fumé, puis réchauffer le tout.
5. Ajuster l'assaisonnement et garnir de persil.

DONNE 4 PORTIONS

SOUPE ALSACIENNE AUX LENTILLES

AVEC LE VEGGIE BACON FUMÉ YVES

Dès les débuts de l'agriculture, il y a plus de 10 000 ans, les lentilles étaient très appréciées. Cette soupe délicieuse, qu'elle soit composée de lentilles brunes ou vertes, est riche en protéines, vitamines B, fer, zinc et magnésium. Chaque portion fournit aussi plus de la moitié de l'apport quotidien recommandé en fibres, tout en ayant une très faible teneur en matières grasses.

3 tranches	Veggie bacon fumé Yves, coupées en dés de ¼ pouce	1	petit navet, pelé, coupé en dés
2	saucisses au tofu Yves (ou Saucisses Veggie) coupées en dés de ¼ pouce	1	branche de céleri, coupée en dés
2	gousses d'ail, hachées fin	1	pomme de terre moyenne, pelée, coupée en dés
1	petit oignon, haché	⅓ tasse	lentilles brunes (ou vertes)
1 ½ c. soupe	huile d'olive	3 tasses	bouillon de légumes
1 ½	carottes, coupées en dés	1	feuille de laurier
		Au goût	sel et poivre

1. Dans une casserole sur feu moyen, faire sauter le Veggie bacon fumé, l'ail et l'oignon dans l'huile pendant 2 min.
2. Ajouter les carottes, le navet et le céleri et faire sauter à feu moyen-doux pendant 3 min.
3. Ajouter les pommes de terre, les lentilles, le bouillon et le laurier. Couvrir et amener à ébullition. Réduire le feu et laisser mijoter pendant 45 min, jusqu'à ce que les lentilles soient tendres.
4. Ajouter les saucisses au tofu ou des saucisses Veggie et poursuivre la cuisson pendant 1 min.
5. Assaisonner au goût.

DONNE 4 PORTIONS

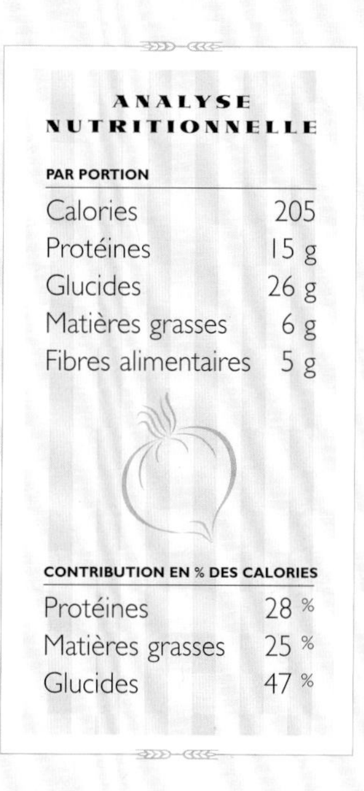

ANALYSE NUTRITIONNELLE

PAR PORTION	
Calories	205
Protéines	15 g
Glucides	26 g
Matières grasses	6 g
Fibres alimentaires	5 g

CONTRIBUTION EN % DES CALORIES	
Protéines	28 %
Matières grasses	25 %
Glucides	47 %

SOUPE AUX LÉGUMES À LA HONGROISE

AVEC LES TRANCHES DÉLI YVES

Nous avons créé cette délicieuse soupe avec du paprika hongrois, le plus parfumé et le plus savoureux. Le paprika et le carvi donnent à cette recette une authentique saveur hongroise, vous offrant ainsi une excellente façon de manger vos légumes.

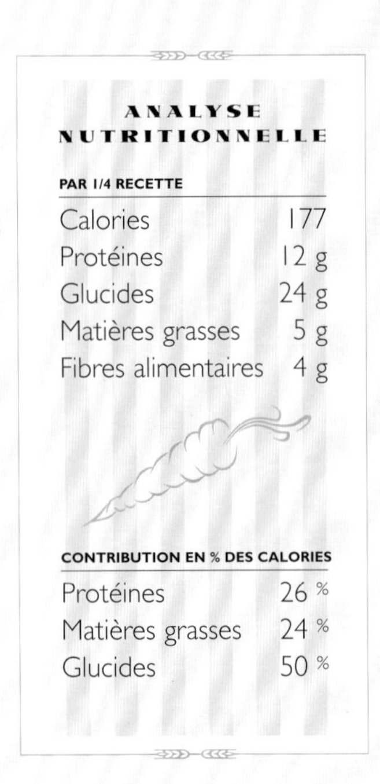

ANALYSE NUTRITIONNELLE

PAR 1/4 RECETTE	
Calories	177
Protéines	12 g
Glucides	24 g
Matières grasses	5 g
Fibres alimentaires	4 g

CONTRIBUTION EN % DES CALORIES	
Protéines	26 %
Matières grasses	24 %
Glucides	50 %

5	tranches Déli Yves, coupées en dés de ¼ pouce	1½ tasse	pommes de terre coupées en dés
3	tranches de Veggie pepperoni Yves, coupées en dés de ¼ pouce	1 tasse	tomates en conserve égouttées et hachées
1-2 c. soupe	huile d'olive	2 c. thé	paprika
½	oignon moyen, haché	1 c. thé	graines de carvi
1 tasse	carottes coupées en dés	½ c. thé	sel
½ tasse	céleri coupé en dés	¼ c. thé	marjolaine séchée
½ tasse	panais (ou céleri-rave) coupé en dés	¼ c. thé	poivre
4 tasses	bouillon de légumes	1 pincée	flocons de piment séchés (facultatif)
		1 c. soupe	persil frais haché

1. Dans une casserole sur feu moyen, faire sauter l'oignon, les carottes, le céleri et le panais dans l'huile pendant 5 min.
2. Ajouter le bouillon, les pommes de terre, le paprika, les graines de carvi, la marjolaine séchée, les flocons de piment, le sel et le poivre.
3. Amener à ébullition, réduire le feu et laisser mijoter pendant 15 min.
4. Ajouter les tranches Déli et les tranches de Veggie pepperoni et faire cuire pendant 10 min ou jusqu'à ce que les pommes de terre soient tendres.
5. Ajouter le persil et ajuster l'assaisonnement.

DONNE 4–6 PORTIONS

SALADE DE PÂTES PRIMAVERA
AVEC LE VEGGIE PEPPERONI YVES

Pour cette belle salade colorée, nous avons choisi des carottes, du chou-fleur, du brocoli et des poivrons crus. Vous pouvez aussi blanchir rapidement tous les légumes ou seulement quelques-uns, pour les attendrir un peu et aviver leurs couleurs (reportez-vous à la p. 13 pour la définition de blanchir). Bien que la vinaigrette ne contienne pas d'huile, vous n'en aurez aucun regret !

4	tranches de Veggie Pepperoni Yves, coupées en carrés de ½ pouce
3 tasses	fusilli secs (8 oz)
1 tasse	sauce tomate (voir p. 90 ou sauce au choix)
6 c. soupe	vinaigre de vin rouge
1 c. thé	sel
⅛ c. thé	poivre
½ c. thé	basilic séché
½ c. thé	origan séché
1 c. soupe	persil frais haché
¼ tasse	oignons verts hachés
¼ tasse	olives hachées
1 tasse	carottes coupées en dés
1 tasse	petits bouquets de chou-fleur
1 tasse	petits bouquets de brocoli
½ tasse	poivron rouge coupé en carrés de ½ pouce
½ tasse	poivron vert coupé en carrés de ½ pouce

1. Faire cuire les pâtes selon les directives indiquées sur l'emballage. Égoutter et rincer à l'eau froide. Bien égoutter à nouveau et déposer dans un saladier.
2. Ajouter les tranches de Veggie pepperoni ainsi que le reste des ingrédients et mélanger délicatement.
3. Si possible, réfrigérer pendant une heure avant de servir. Ajuster l'assaisonnement et ajouter un peu de vinaigre de vin, si nécessaire.

DONNE 10 TASSES

ANALYSE NUTRITIONNELLE

PAR TASSE	
Calories	92
Protéines	4 g
Glucides	16 g
Matières grasses	0.7 g
Fibres alimentaires	2 g

CONTRIBUTION EN % DES CALORIES	
Protéines	20 %
Matières grasses	7 %
Glucides	73 %

SALADE CÉSAR

AVEC LES MIETTES DE VEGGIE BACON YVES

Voici une version santé de ce grand classique, avec 70 % de matières grasses en moins. Épongez bien les feuilles de laitue, une fois lavées. De cette façon, la vinaigrette adhèrera mieux à la laitue et ne sera pas diluée, gardant ainsi toute sa saveur.

1 grosse	laitue romaine (8 tasses)
1 ½ tasse	croûtons à faible teneur en matières grasses (ou réguliers)
½ tasse	vinaigrette César (recette à la page suivante)
2-3 c. soupe	fromage parmesan (ou fromage de soja) râpé
¼ tasse	miettes de Veggie bacon fumé Yves (recette p. 59)

1. Rincer les feuilles de laitue à l'eau froide, puis les essorer ou les éponger délicatement avec un linge propre.
2. Déchiqueter les feuilles de laitue en bouchées.
3. Dans un saladier, mélanger délicatement la laitue avec les croûtons, la vinaigrette César, le parmesan et les miettes de Veggie bacon fumé, jusqu'à ce que les feuilles soient bien enrobées.

DONNE 4 PORTIONS

ANALYSE NUTRITIONNELLE

PAR PORTION	
Calories	173
Protéines	9 g
Glucides	13 g
Matières grasses	10 g
Fibres alimentaires	3 g

CONTRIBUTION EN % DES CALORIES	
Protéines	19 %
Matières grasses	51 %
Glucides	30 %

VINAIGRETTE CÉSAR

La salade César a été inventée à Tijuana en 1924 par le Chef César Cardini. Tout comme la nôtre, la recette originale ne comprenait pas d'anchois. La plupart des sauces Worcestershire en contiennent un peu, mais vous trouverez aussi sur le marché, particulièrement dans les épiceries d'aliments naturels, des sauces faites entièrement d'ingrédients végétaux.

2	gousses d'ail, hachées fin	2 c. thé	jus de citron
3 c. soupe	vinaigre de vin blanc	1 c. thé	miel
3 c. soupe	fromage parmesan râpé	½ c. thé	poivre noir concassé
1 c. soupe	moutarde de Dijon	½ c. thé	sel
2 c. thé	câpres hachées fin	½ tasse	huile d'olive
2 c. thé	sauce Worcestershire	1 tasse	yogourt

1. Dans un bol moyen, bien mélanger tous les ingrédients, sauf l'huile et le yogourt.
2. Incorporer peu à peu l'huile en un mince filet, tout en fouettant.
3. Incorporer doucement le yogourt. Ne pas trop mélanger pour éviter que le yogourt ne se sépare.

DONNE 2 TASSES

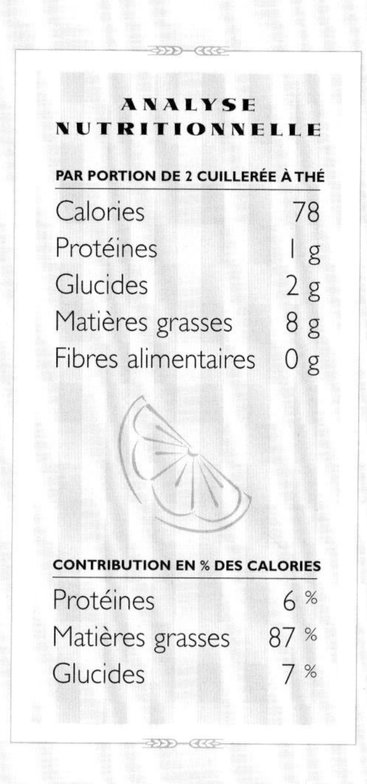

ANALYSE NUTRITIONNELLE

PAR PORTION DE 2 CUILLERÉE À THÉ	
Calories	78
Protéines	1 g
Glucides	2 g
Matières grasses	8 g
Fibres alimentaires	0 g

CONTRIBUTION EN % DES CALORIES	
Protéines	6 %
Matières grasses	87 %
Glucides	7 %

SALADE DU CHEF

AVEC LES TRANCHES DÉLI YVES

Toutes les variétés de tranches Yves conviennent pour cette salade, tant les tranches déli que les tranches de dinde Veggie, les tranches de jambon Veggie et les tranches de Veggie pepperoni. Osez innover ! Vous avez aussi le choix au rayon des laitues : la romaine, la Boston ou la frisée rouge, fraîches et croquantes, font d'excellentes salades. Cette recette vous procure des protéines, des vitamines A, B_{12} (dans les tranches Yves) et C, ainsi que du calcium. Pour une version à plus faible teneur en gras, omettez simplement le fromage.

2	tranches déli Yves (ou autres tranches au choix)	3	quartiers de tomate
2 tasses	laitue découpée en petits morceaux	2 c. soupe	fromage cheddar râpé
½	œuf, coupé en 2 quartiers	3	rondelles de poivron rouge
		2 c. soupe	vinaigrette au choix

1. Couper les tranches déli en deux, puis les tailler en fines lanières. Mettre de côté.
2. Rincer la laitue, puis l'essorer ou l'assécher délicatement avec un linge propre. Découper la laitue en petits morceaux.
3. Garnir le fond d'une assiette de laitue et y disposer harmonieusement les morceaux d'œuf, les quartiers de tomate, le fromage, le poivron et les tranches Déli.
4. Servir avec 2 c. soupe de vinaigrette au choix.

DONNE 1 PORTIONS

ANALYSE NUTRITIONNELLE

PAR PORTION (SANS LA VINAIGRETTE)

Calories	177
Protéines	16 g
Glucides	12 g
Matières grasses	8 g
Fibres alimentaires	4 g
CONTRIBUTION EN % DES CALORIES	
Protéines	35 %
Matières grasses	26 %
Glucides	39 %

PAR PORTION (SANS FROMAGE ET SANS VINAIGRETTE)

Calories	117
Protéines	13 g
Glucides	12 g
Matières grasses	3 g
Fibres alimentaires	4 g
CONTRIBUTION EN % DES CALORIES	
Protéines	40 %
Matières grasses	22 %
Glucides	38 %

VINAIGRETTE BALSAMIQUE

Le vinaigre balsamique est une spécialité italienne. Il est fabriqué dans la province de Modène à partir du jus sucré des raisins blancs et est soumis à un long processus de vieillissement. Utilisé avec parcimonie, le vinaigre balsamique confère aux plats chauds ou froids une agréable saveur aigre-douce. Utilisé en vinaigrette, il apporte une riche saveur qui rehausse les salades vertes, les légumes cuits à la vapeur et les assiettes de crudités.

2/3 tasse	huile d'olive extra-vierge	2	gousses d'ail, hachées fin
1/4 tasse	jus de citron	1 c. thé	sel
2 c. soupe	vinaigre balsamique	1 pincée	poivre

1. Dans un pot fermant bien, mélanger tous les ingrédients en remuant vigoureusement pendant 30 sec.
2. Conserver au réfrigérateur dans un pot fermé pour un maximum de 3-4 semaines.

DONNE 1 1/4 TASSE

ANALYSE NUTRITIONNELLE

PAR CUILLERÉE À TABLE	
Calories	63
Protéines	0 g
Glucides	1 g
Matières grasses	7 g
Fibres alimentaires	0 g

CONTRIBUTION EN % DES CALORIES	
Protéines	0 %
Matières grasses	97 %
Glucides	3 %

SALADE D'ÉPINARDS

AVEC LES MIETTES DE VEGGIE BACON YVES

Les épinards et les légumes verts feuillus, comme le chou frisé et le chou cavalier, contiennent de la lutéine, un composé de la même famille que le bêta-carotène. On sait maintenant que la lutéine aide à protéger la vision et à prévenir la dégénérescence de l'œil qui survient au cours du vieillissement.

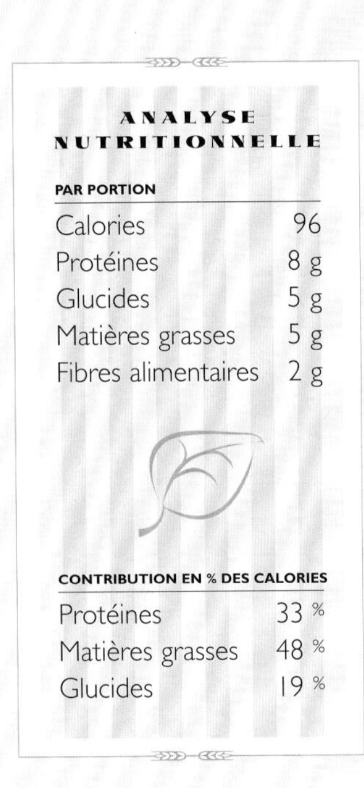

ANALYSE NUTRITIONNELLE

PAR PORTION	
Calories	96
Protéines	8 g
Glucides	5 g
Matières grasses	5 g
Fibres alimentaires	2 g

CONTRIBUTION EN % DES CALORIES	
Protéines	33 %
Matières grasses	48 %
Glucides	19 %

3 tasses	épinards frais	2 c. soupe	miettes de Veggie bacon fumé Yves (recette p.59)
1 tasse	champignons frais tranchés fin	2 c. soupe	vinaigrette crémeuse au basilic (recette en page suivante)
1	œuf cuit dur, émietté		
½ c. thé	aneth frais (ou ⅛ c. thé d'aneth séché)		

1. Couper et jeter les tiges des épinards. Bien rincer les feuilles pour enlever toute trace de terre ou de sable, puis essorer ou éponger avec un linge propre.
2. Déchiqueter les épinards en bouchées. Mélanger dans un saladier avec les champignons, l'œuf, l'aneth et les miettes de Veggie bacon fumé.
3. Répartir la salade dans 2 assiettes.
4. Arroser de vinaigrette et servir.

DONNE 2 PORTIONS

NOTE NUTRITIONNELLE

Dans les salades asssaisonnées de vinaigrette, la proportion des calories provenant des matières grasses est souvent assez élevée à cause de l'huile, qui en est une source concentrée. La salade elle-même contient en général peu de matières grasses ou de calories. Les produits sans gras Yves Veggie Cuisine constituent des ingrédients de choix pour les salades, parce qu'ils fournissent des protéines sans ajouter de matières grasses.

VINAIGRETTE CRÉMEUSE AU BASILIC

Le basilic fraîchement coupé sécrète des huiles aromatiques qui mettent l'eau à la bouche. Combiné à des ingrédients crémeux en une savoureuse vinaigrette, il apporte une fraîcheur toute estivale aux verdures. Notez qu'une cuillère à soupe de mayonnaise régulière fournit plus de 11 grammes de gras, tandis que notre vinaigrette n'en contient que 2.

1 tasse	yogourt	1 c. soupe	vinaigre de cidre
½ tasse	mayonnaise légère (ou régulière)	1 c. thé	moutarde de Dijon
		¼ c. thé	sel
2 c. soupe	basilic frais haché	1 pincée	poivre

1. Bien mélanger tous les ingrédients dans un bol.
2. Conserver au réfrigérateur dans un pot fermé pour un maximum de 3 semaines.

DONNE 1 ½ TASSE

ANALYSE NUTRITIONNELLE

PAR CUILLERÉE À TABLE	
Calories	23
Protéines	0.4 g
Glucides	0.9 g
Matières grasses	2 g
Fibres alimentaires	0 g
CONTRIBUTION EN % DES CALORIES	
Protéines	7 %
Matières grasses	78 %
Glucides	15 %

MAYONNAISE À L'ANETH

Le terme aneth réfère soit au feuillage vert et duveteux de la plante, soit aux graines. Nous utilisons ici le feuillage frais de l'aneth qui dégage plus d'arôme et de saveur. Durant l'été, on trouve facilement de l'aneth frais et, tout au long de l'année, de nombreux supermarchés en offrent. À défaut d'aneth frais, utilisez les feuilles séchées.

1 tasse	mayonnaise légère (ou régulière)	1 c. soupe	aneth frais haché
		½ c. thé	sel
2 c. soupe	vinaigre de cidre	1 pincée	poivre

1. Mélanger ensemble tous les ingrédients dans un bol.
2. Conserver au réfrigérateur dans un pot fermé pour un maximum de 3 semaines.

DONNE 1 ¼ TASSE

ANALYSE NUTRITIONNELLE

PAR CUILLERÉE À TABLE	
Calories	50
Protéines	0 g
Glucides	1 g
Matières grasses	5 g
Fibres alimentaires	0 g
CONTRIBUTION EN % DES CALORIES	
Protéines	0 %
Matières grasses	91 %
Glucides	9 %

VINAIGRETTE AUX TOMATES ET BASILIC

Dans cette vinaigrette légère mais savoureuse, le jus de tomate donne du corps et permet de réduire considérablement la quantité d'huile nécessaire. Pour varier, remplacez le jus de tomate par du jus de légumes et le jus de citron par du vinaigre de cidre. Essayez différentes herbes, comme l'origan et l'aneth, seules ou combinées. Si vous utilisez des herbes séchées, n'utilisez que le tiers de la quantité indiquée pour les herbes fraîches.

ANALYSE NUTRITIONNELLE

PAR CUILLERÉE À TABLE

Calories	16
Protéines	0.1 g
Glucides	0.8 g
Matières grasses	1 g
Fibres alimentaires	0 g

CONTRIBUTION EN % DES CALORIES

Protéines	3 %
Matières grasses	78 %
Glucides	19 %

1 tasse	jus de tomate
2 c. soupe	jus de citron
2 c. soupe	vinaigre de cidre
2 c. soupe	huile d'olive extra-vierge
2 c. thé	basilic frais haché
1 c. thé	moutarde de Dijon
½ c. thé	estragon séché (facultatif)
1 pincée	poivre

1. Dans un pot fermant bien, mélanger tous les ingrédients en remuant vigoureusement pendant 30 sec.
2. Conserver au réfrigérateur dans un pot fermé pour un maximum de 3 semaines.

DONNE 1 ¼ TASSE

NOTE NUTRITIONNELLE

Comme il y a peu de calories dans cette vinaigrette, la proportion des calories provenant des matières grasses semble importante. Observez cependant le nombre de grammes de matières grasses par cuillère à soupe : il n'y en a pratiquement pas !

MIETTES DE VEGGIE BACON FUMÉ

AVEC LE VEGGIE BACON FUMÉ YVES

Enfin ! Des miettes de bacon végé savoureuses ! Elles sont faciles à préparer avec le Veggie bacon fumé sans gras Yves, et un soupçon d'huile. Vous pouvez même minimiser l'ajout de gras en utilisant un vaporisateur d'huile. Conservez ces miettes de Veggie bacon fumé dans un récipient fermé jusqu'à un mois au réfrigérateur. Dégustez-les avec plaisir sur vos salades, pommes de terre au four et tacos, dans vos soupes, hot-dogs, omelettes ou garnitures à sandwichs.

1 paquet	Veggie bacon fumé Yves	2 c. thé	huile d'olive (ou enduit végétal)

1. Couper le Veggie bacon fumé en dés de 1/4 pouce.
2. Dans un poêlon, faire dorer le Veggie bacon fumé dans l'huile à feu moyen pendant 2-3 min, en remuant de temps à autre.
3. Déposer le Veggie bacon fumé dans la jarre du robot culinaire et actionner l'appareil par pulsations jusqu'à ce que le mélange soit en miettes.
4. Laisser refroidir. Conserver au réfrigérateur dans un pot fermé.

DONNE 1 TASSE

ANALYSE NUTRITIONNELLE

PAR CUILLERÉE À TABLE	
Calories	20
Protéines	3 g
Glucides	0.4 g
Matières grasses	0.6 g
Fibres alimentaires	0 g

YVES VEGGIE CUISINE

CONTRIBUTION EN % DES CALORIES	
Protéines	66 %
Matières grasses	28 %
Glucides	6 %

SANDWICHS, HOT-DOGS ET BURGERS

Sandwich Reuben

Sandwich à la grecque

Sandwich sous-marin

Sandwich club classique

Sandwich Veggie BLT

Sandwich Sloppy Joe

Veggie burger cheddar-bacon

Veggie burger classique

Veggie burger champignons-bacon

Burger jardinière

Hot-dog veggie chicago

Hot-dog veggie tex-mex

Hot-dog veggie tout garni

SANDWICH REUBEN ET SANDWICH À LA GRECQUE

COMPLÉMENTARITÉ DES PROTÉINES : UNE MISE À JOUR

Avez-vous déjà entendu dire que les protéines végétales sont « incomplètes » et doivent être soigneusement combinées pour fournir tous les acides aminés essentiels ? Ce concept, reposant sur des études animales, a été largement popularisé par un bestseller des années 70, intitulé « Sans viande et sans regret ». Les auteurs encourageaient une plus grande consommation de protéines végétales, mais soutenaient qu'il était nécessaire, pour satisfaire nos besoins, d'associer à chaque repas des protéines de différents groupes d'aliments d'origine végétale.

Avec le temps, les connaissances scientifiques ont permis de jeter un nouvel éclairage sur la question. Les experts croient maintenant qu'une alimentation végétarienne comble facilement nos besoins en protéines, à condition que nous consommions suffisamment de calories.

De fait, manger chaque jour des aliments sains et variés dans les différents groupes alimentaires nous donne accès à une profusion de minéraux, de vitamines et d'autres nutriments essentiels. Quant à nos besoins en protéines et en acides aminés essentiels, ils seront comblés si nos besoins en calories le sont aussi, à moins d'avoir une alimentation axée sur les matières grasses et les sucreries. La planification méticuleuse de la complémentarité des protéines n'est donc plus nécessaire.

SANDWICH REUBEN

AVEC LE VEGGIE BACON FUMÉ YVES

On raconte que le sandwich Reuben a été créé en 1914 pour l'une des actrices vedettes de Charlie Chaplin, qui se présenta affamée au légendaire Reuben's Delicatessen, à New York. Notre délicieuse recette du sandwich Reuben contient 12 grammes de moins de matières grasses qu'un traditionnel sandwich à la viande fumée ou au jambon. De plus, il regorge de vitamines B, de calcium, de fer, de zinc et de protéines. La choucroute, le fromage suisse, le pain de seigle, la moutarde de Dijon et le Veggie bacon fumé Yves composent un sandwich absolument remarquable !

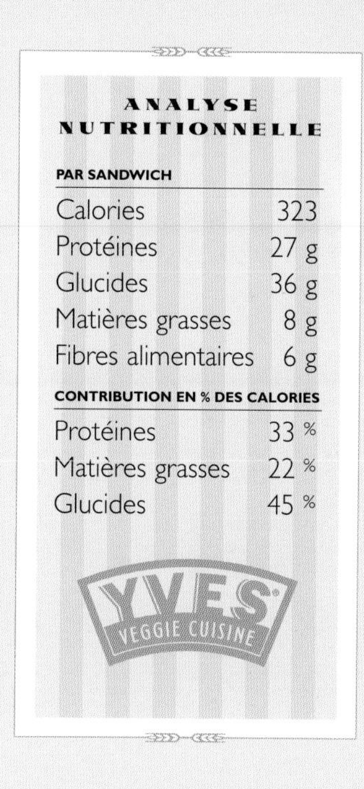

ANALYSE NUTRITIONNELLE

PAR SANDWICH	
Calories	323
Protéines	27 g
Glucides	36 g
Matières grasses	8 g
Fibres alimentaires	6 g

CONTRIBUTION EN % DES CALORIES	
Protéines	33 %
Matières grasses	22 %
Glucides	45 %

1 paquet	Veggie bacon fumé Yves	6 tranches	fromage Suisse
3 c. soupe	moutarde de Dijon	¾ tasse	choucroute égouttée
6 tranches	pain de seigle		

1. Faire sauter, ou faire cuire à la vapeur ou aux micro-ondes, le Veggie bacon fumé jusqu'à ce qu'il soit bien chaud.
2. Tartiner les 3 tranches de pain de moutarde de Dijon.
3. Garnir 3 tranches de pain de Veggie bacon fumé bien chaud. Ajouter immédiatement le fromage afin qu'il fonde un peu. (Si désiré, faire fondre le fromage sous le gril du four pendant 30 sec.)
4. Garnir de choucroute et refermer avec les autres tranches de pain.

DONNE 3 SANDWICHS

(Voir photo p. 61)

SANDWICH À LA GRECQUE

AVEC LE VEGGIE PIZZA PEPPERONI YVES

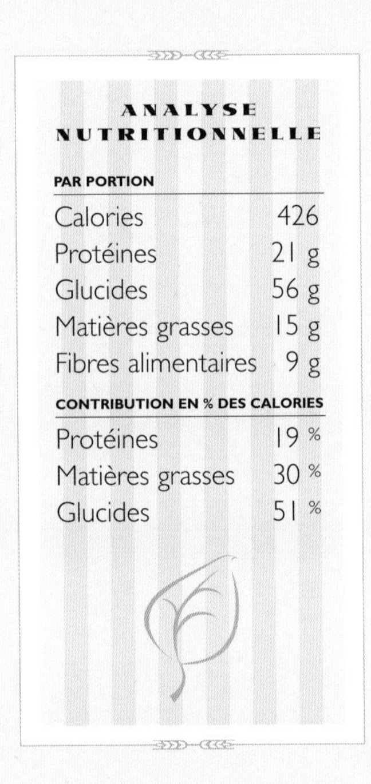

ANALYSE NUTRITIONNELLE

PAR PORTION	
Calories	426
Protéines	21 g
Glucides	56 g
Matières grasses	15 g
Fibres alimentaires	9 g

CONTRIBUTION EN % DES CALORIES	
Protéines	19 %
Matières grasses	30 %
Glucides	51 %

Ce sandwich, conçu pour les appétits herculéens, peut être préparé avec trois tranches de chacun des produits tranchés Yves (tranches Déli, de dinde Veggie, de jambon Veggie et de Veggie pepperoni) ou avec 12 petites tranches de Veggie pizza pepperoni Yves. Notre sandwich est idéal dans la boîte à lunch, à la maison ou en pique-nique. Débordant de saveur, de couleur et d'éléments nutritifs, ce sandwich est aussi généreux en protéines, calcium, fer et vitamines B.

12 tranches	Veggie pizza pepperoni Yves	2 c. soupe	moutarde de Dijon (ou au goût)
1 morceau de 6 pouces	baguette de pain (2 oz) coupée dans le sens de la longueur, ou	2 c. soupe	olives noires hachées
		3 tranches	tomate
		5 rondelles	oignon rouge
		2 c. soupe	fromage féta émietté
2 tranches	pain de blé entier	1 feuille	laitue

1. Tartiner le pain de moutarde de Dijon.
2. Garnir une moitié de pain de Veggie pizza pepperoni (ou autres variétés de tranches).
3. Parsemer d'olives noires, de tomate, d'oignon et de féta. (Si désiré faire fondre le fromage sous le gril du four pendant 20 sec.). Garnir de laitue.
4. Refermer avec l'autre moitié de pain.

DONNE 1 SANDWICH

SANDWICH SOUS-MARIN

AVEC LES TRANCHES VEGGIE YVES

Au lieu de préparer une multitude de sandwichs pour nourrir un grand groupe, assemblez quelques sous-marins que vous couperez en sections. Dans les supermarchés, les pains à sous-marin réguliers ou faits de blé entier sont vendus individuellement ou en paquet de 6 ou de 8. Les petits pains et la baguette font tout aussi bien l'affaire pour cette succulente combinaison. Un sous-marin entier vous fournira les deux tiers de l'apport quotidien recommandé en protéines.

1	pain à sous-marin
1 c. soupe	mayonnaise (ou vinaigrette italienne) faible en gras
1 c. thé	moutarde
2 tranches	fromage cheddar
2 tranches	dinde Veggie Yves
2 tranches	Veggie pepperoni Yves
2	tranches déli Veggie Yves
3 tranches	tomate
1 pincée	sel
1 pincée	poivre
¼ tasse	laitue émincée

1. Couper, ou non, les tranches en 2, sur la largeur du pain. Mettre de côté.
2. Trancher le pain en 2, dans le sens de la longueur. Tartiner la moitié du dessous de mayonnaise et l'autre de moutarde.
3. Garnir la moitié du dessous, dans cet ordre, de fromage, des tranches de dinde, de pepperoni et déli Veggie, ainsi que de tomates.
4. Assaisonner de sel et de poivre. Garnir de laitue et refermer le sandwich.

DONNE 1 À 2 PORTIONS

ANALYSE NUTRITIONNELLE

PAR 1/2 SANDWICH	
Calories	341
Protéines	21 g
Glucides	43 g
Matières grasses	9 g
Fibres alimentaires	3 g

CONTRIBUTION EN % DES CALORIES	
Protéines	25 %
Matières grasses	24 %
Glucides	51 %

SANDWICH CLUB CLASSIQUE

AVEC LES TRANCHES VEGGIE YVES

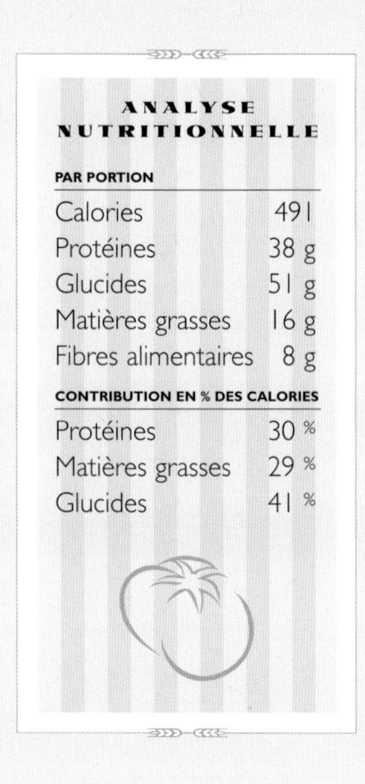

ANALYSE NUTRITIONNELLE

PAR PORTION	
Calories	491
Protéines	38 g
Glucides	51 g
Matières grasses	16 g
Fibres alimentaires	8 g

CONTRIBUTION EN % DES CALORIES	
Protéines	30 %
Matières grasses	29 %
Glucides	41 %

Voilà sans contredit un favori à l'heure du lunch ! D'abord, il est pratique, et il propose une appétissante combinaison de saveurs, de couleurs et de textures. Il renferme aussi de généreuses quantités de protéines, de fer et de vitamines B. Préparé avec les tranches de dinde Veggie et le Veggie bacon fumé Yves, ce sandwich à plusieurs étages est vraiment tout indiqué pour satisfaire les gros appétits.

3 tranches	dinde Veggie Yves	1–2	feuille(s) de laitue
3 tranches	Veggie bacon fumé Yves	4 tranches	tomate mûre
½ c. thé	huile d'olive	1 pincée	sel
3 tranches	pain de blé entier	1 pincée	poivre noir
2 c. soupe	mayonnaise légère		

1. Faire sauter, dans un soupçon d'huile, le Veggie bacon fumé à feu moyen, pendant 30 sec de chaque côté.
2. Faire griller les tranches de pain et les tartiner de mayonnaise.
3. Garnir une rôtie des tranches de dinde Veggie et de laitue. Couvrir d'une autre rôtie.
4. Déposer le Veggie bacon fumé et les tranches de tomate sur le dessus. Assaisonner de sel et poivre, puis refermer avec la 3e rôtie.
5. Couper en 4 pointes et servir.

DONNE 1 SANDWICH

SANDWICH VEGGIE BLT

AVEC LE VEGGIE BACON FUMÉ YVES

Bien manger ne veut pas dire abandonner les casse-croûte délicieux comme les sandwichs bacon-laitue-tomate ! En utilisant le Veggie bacon fumé sans gras Yves au lieu des quatre tranches de bacon régulier, vous coupez le gras de moitié. Choisissez le meilleur pain de grains entiers, faites-le griller, et préparez-vous à vous délecter !

4 tranches	Veggie bacon fumé Yves	4 tranches	tomate mûre
½ c. thé	huile d'olive	1 pincée	sel
2 tranches	pain de blé entier	1 pincée	poivre noir
1 c. soupe	mayonnaise légère	1 feuille	laitue

1. Faire sauter, dans un soupçon d'huile, le Veggie bacon fumé à feu moyen pendant 1 min.
2. Faire griller le pain et le tartiner de mayonnaise.
3. Disposer le Veggie bacon fumé et les tranches de tomate sur une rôtie. Assaisonner de sel et de poivre.
4. Garnir de laitue et refermer avec l'autre tranche de pain. Couper en deux et servir.

DONNE 1 SANDWICH

ANALYSE NUTRITIONNELLE

PAR PORTION	
Calories	331
Protéines	29 g
Glucides	33 g
Matières grasses	10 g
Fibres alimentaires	6 g

CONTRIBUTION EN % DES CALORIES	
Protéines	34 %
Matières grasses	27 %
Glucides	39 %

SANDWICH SLOPPY JOE

AVEC LE SANS-VIANDE HACHÉE YVES

Nul ne sait qui est le Joe à l'origine de ce sandwich, mais plusieurs variantes du Sloppy Joe remontent jusqu'aux années 40. Cette version au goût du jour est aussi succulente que les versions plus anciennes, sans en avoir le cholestérol ni les gras saturés (s'il est préparé sans le fromage). Une portion fournit plus du tiers de l'apport quotidien recommandé en protéines et représente une excellente source de fer et de vitamine C. Les petits, comme les grands, en redemanderont !

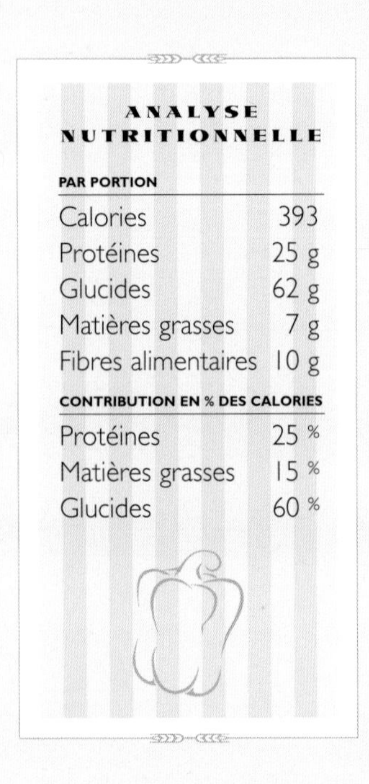

ANALYSE NUTRITIONNELLE

PAR PORTION	
Calories	393
Protéines	25 g
Glucides	62 g
Matières grasses	7 g
Fibres alimentaires	10 g

CONTRIBUTION EN % DES CALORIES	
Protéines	25 %
Matières grasses	15 %
Glucides	60 %

1 paquet	sans-viande hachée italien Yves
1-2 c. soupe	huile d'olive
½	oignon moyen, haché
½ tasse	poivron rouge coupé en dés
½ tasse	poivron vert coupé en dés
2	gousses d'ail, hachées fin
2 tasses	sauce tomate
⅓ tasse	ketchup
1 c. soupe	sauce Worcestershire (facultatif)
1 c. thé	basilic séché
½ c. thé	origan séché
¼ c. thé	sel
¼ c. thé	poivre noir concassé
4	petits pains
½ tasse	fromage cheddar à faible teneur en gras râpé (facultatif)

1. Dans un poêlon, faire chauffer l'huile et y faire sauter l'oignon, les poivrons et l'ail pendant 5-6 min.
2. Ajouter la sauce tomate, le ketchup, la sauce Worcestershire (facultatif), le basilic, l'origan, le sel et le poivre. Réduire le feu à moyen et poursuivre la cuisson, à découvert, pendant 10 min.
3. Incorporer le sans-viande hachée italien émietté. Bien mélanger et poursuivre la cuisson pendant 1-2 min.
4. Couper les pains en deux et les disposer, ouverts, dans les assiettes. Garnir de la préparation Sloppy Joe et de fromage râpé (facultatif).

DONNE 4 PORTIONS

VEGGIE BURGER CHEDDAR-BACON

AVEC LE VEGGIE BACON FUMÉ YVES

Inspiré d'une recette de boeuf haché et baptisé en l'honneur de sa ville d'origine, le bifteck de Hambourg représente la première version américaine du burger. Le véritable burger date cependant de la Foire internationale de Saint-Louis, en 1904, alors que des immigrants allemands décident de jumeler un pain à la galette. Le Veggie burger burger et le Veggie bacon fumé Yves renouvellent la recette en composant un burger riche en protéines, mais qui respecte le maximum recommandé de 30 % des calories sous forme de matières grasses, même avec la mayo et le fromage !

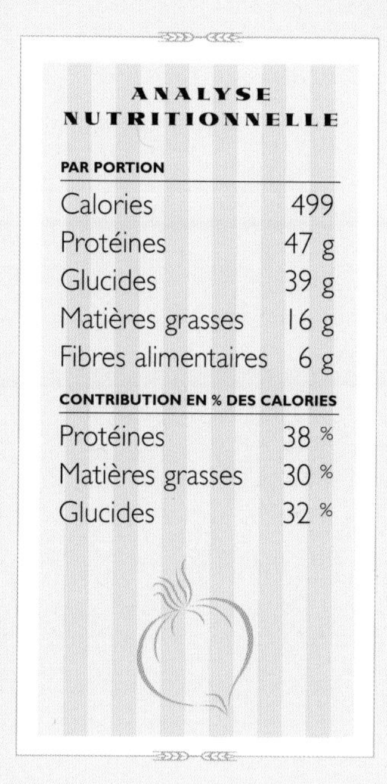

ANALYSE NUTRITIONNELLE

PAR PORTION	
Calories	499
Protéines	47 g
Glucides	39 g
Matières grasses	16 g
Fibres alimentaires	6 g

CONTRIBUTION EN % DES CALORIES	
Protéines	38 %
Matières grasses	30 %
Glucides	32 %

1	Veggie burger burger Yves
2 tranches	Veggie bacon fumé Yves
1	pain hamburger
2 c. soupe	mayonnaise à faible teneur en gras
1 c. soupe	sauce chili
5 rondelles	oignon rouge (fines)
2 tranches	fromage cheddar à faible teneur en gras (ou régulier)
¼ tasse	laitue émincée

1. Dans un poêlon antiadhésif sur feu moyen, faire réchauffer le Veggie burger burger pendant 2 min de chaque côté. (Cuisson aux micro-ondes : suivre les indications sur l'emballage.)
2. Entre-temps, et dans le même poêlon, faire réchauffer le Veggie bacon fumé pendant 1 min de chaque côté.
3. Tartiner le pain de mayonnaise.
4. Déposer le Veggie burger burger sur la moitié de pain du dessous.
5. Garnir de Veggie bacon fumé.
6. Badigeonner le Veggie bacon fumé de sauce chili.
7. Garnir d'oignon, de fromage, de laitue et refermer avec l'autre moitié de pain.

DONNE 1 BURGER

VEGGIE BURGER CLASSIQUE

AVEC LES VEGGIE BURGER BURGERS YVES

Les burgers sont certainement aussi américains (et canadiens) que la tarte aux pommes ! Saviez-vous que plus de 40 milliards de burgers sont consommés chaque année en Amérique du Nord ? Un véritable classique, le burger est non seulement pratique, mais réjouissant. Dégustez sans remords cette savoureuse version préparée avec notre Veggie burger burger, sans cholestérol et sans gras !

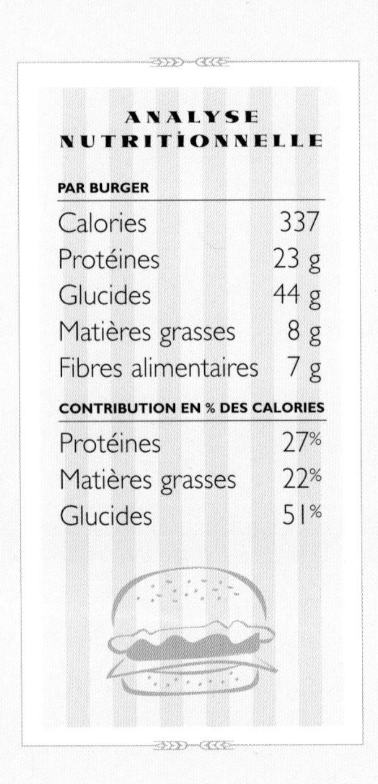

ANALYSE NUTRITIONNELLE

PAR BURGER	
Calories	337
Protéines	23 g
Glucides	44 g
Matières grasses	8 g
Fibres alimentaires	7 g

CONTRIBUTION EN % DES CALORIES	
Protéines	27%
Matières grasses	22%
Glucides	51%

1	Veggie burger burger Yves	½ c. soupe	ketchup
1	pain hamburger	4-5 rondelles	oignon rouge
1-2 c. soupe	mayonnaise faible en gras	1 tranche	tomate
2 c. thé	moutarde	¼ tasse	laitue émincée
1 c. soupe	relish		

1. Dans un poêlon sur feu moyen, faire réchauffer le Veggie burger burger pendant 2 min de chaque côté.
2. Tartiner les 2 moitiés de pain de mayonnaise.
3. Tartiner la moitié du dessous de moutarde et de relish et l'autre moitié, de ketchup.
4. Déposer le Veggie burger burger sur la moitié du dessous et garnir d'oignon, de tomate et de laitue. Refermer avec l'autre moitié de pain.

DONNE 1 BURGER

VEGGIE BURGER CLASSIQUE

LES FIBRES ALIMENTAIRES : UN CADEAU DES VÉGÉTAUX

QU'ENTEND-ON PAR « FIBRES ALIMENTAIRES » ?

Les fibres alimentaires représentent la partie des végétaux que l'on ne peut digérer. Les aliments riches en fibres font de bons alliés dans le contrôle du poids car ils sont à faible teneur en calories et nous rassasient facilement. Il existe deux familles de fibres : solubles et insolubles. Ce sont les fibres solubles qui gélifient le gruau et le liquide des conserves de prunes et d' haricots. Les fibres insolubles, elles, donnent du mordant au pain de blé entier, au chou et aux carottes crues.

POURQUOI EN AVONS-NOUS BESOIN ?

Par leur capacité à régulariser le fonctionnement des intestins, les fibres alimentaires diminuent le risque de cancer du côlon. Grâce aux fibres insolubles, les matières fécales sont évacuées rapidement, diminuant ainsi le temps de contact des substances cancérigènes avec l'intérieur de l'intestin. Les fibres solubles, pour leur part, nous débarrassent de substances inutiles et dommageables. Elles aident par exemple à diminuer le cholestérol sanguin en favorisant son élimination dans les selles.

En formant un gel dans l'intestin, les fibres solubles contribuent aussi à ralentir l'arrivée du sucre dans le sang, ce qui favorise une meilleure stabilité du taux de glucose sanguin. C'est là un avantage de plus, tant pour les personnes diabétiques que non-diabétiques.

OÙ LES TROUVE-T-ON ?

Les aliments d'origine animale comme la viande, le poisson, la volaille ou les produits laitiers ne contiennent pas de fibres alimentaires. On retrouve les fibres dans les légumes, les céréales entières, les haricots, les lentilles, les fruits et plusieurs produits Yves Veggie Cuisine.

DE QUELLE QUANTITÉ AVONS-NOUS BESOIN ?

Le régime alimentaire nord-américain typique fournit 14 grammes de fibres par jour, mais notre corps fonctionne beaucoup mieux avec un minimum de 25 grammes. Un bol de flocons d'avoine, une pomme et une grosse carotte fournissent chacun 3 grammes de fibres. Les plats « préparés » Yves représentent aussi une bonne source de fibres. Ainsi, une portion de chili Veggie contient plus de 13 grammes de fibres alimentaires, soit plus de la moitié de votre objectif quotidien ! Vous trouverez par ailleurs 7 grammes de fibres dans un burger aux haricots noirs et champignons ou une escalope jardinière.

VEGGIE BURGER CHAMPIGNONS-BACON

AVEC LES VEGGIE BURGER ET BACON YVES

Vous impressionnerez la galerie avec ce burger ! La combinaison du Veggie bacon fumé et du Veggie burger burger Yves avec des champignons et de la sauce barbecue est sans contredit un pur délice. N'oubliez pas que les Veggie burgers et le Veggie bacon fumé, comme tous les produits Yves Veggie Cuisine, sont précuits et doivent seulement être réchauffés, que ce soit sur le barbecue ou sur la cuisinière.

1	Veggie burger burger Yves	1	pain hamburger
2 tranches	Veggie bacon fumé Yves	2 c. thé	sauce barbecue
1 tasse	champignons frais tranchés	4 rondelles	oignon rouge
1 pincée	sel	1/4 tasse	laitue émincée
1 c. soupe	huile d'olive		

1. Dans un poêlon sur feu moyen-élevé, faire revenir les champignons dans l'huile et saupoudrer de sel, pendant 4 min. Pousser les champignons sur le côté.
2. Dans le même poêlon, réchauffer le Veggie bacon fumé pendant 1 min de chaque côté. Mettre de côté dans une assiette au chaud.
3. Toujours dans le même poêlon, réchauffer le Veggie burger burger à feu moyen pendant 2 min de chaque côté.
4. Tartiner les 2 moitiés de pain de sauce barbecue.
5. Déposer le Veggie burger burger sur la moitié de pain du dessous et garnir de Veggie bacon fumé.
6. Garnir d'oignons, de champignons et de laitue et refermer avec l'autre moitié de pain.

DONNE 1 BURGER

ANALYSE NUTRITIONNELLE

PAR BURGER	
Calories	365
Protéines	34 g
Glucides	38 g
Matières grasses	7 g
Fibres alimentaires	7 g
CONTRIBUTION EN % DES CALORIES	
Protéines	38 %
Matières grasses	19 %
Glucides	43 %

BURGER JARDINIÈRE

AVEC LES ESCALOPES JARDINIÈRE YVES

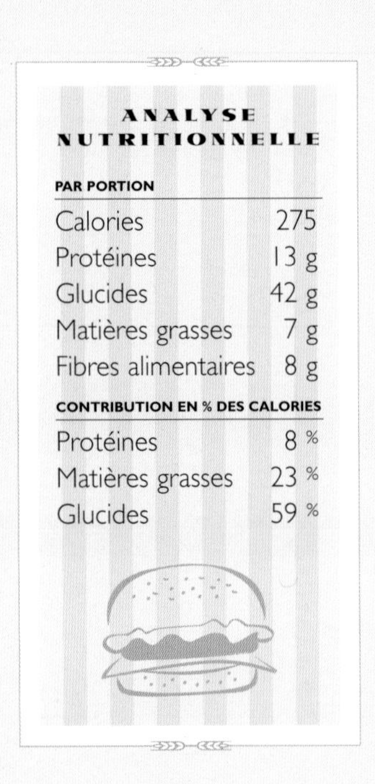

ANALYSE NUTRITIONNELLE

PAR PORTION	
Calories	275
Protéines	13 g
Glucides	42 g
Matières grasses	7 g
Fibres alimentaires	8 g

CONTRIBUTION EN % DES CALORIES	
Protéines	8 %
Matières grasses	23 %
Glucides	59 %

Vous pouvez maintenant manger vos légumes sous forme de burger ! Dégustez cette escalope passe-partout avec un petit pain bien frais et vos condiments préférés. Ou encore, hachez les escalopes jardinière Yves et apprêtez-les dans de succulents plats tels que les boulettes aigres-douces (p. 92), le cari de légumes sur riz basmati (p. 97) ou les gyozas (p. 40).

1	Escalope Jardinière Yves	5 rondelles	oignon rouge (fines)
1	pain hamburger	1 tranche	tomate
1-2 c. soupe	mayonnaise faible en gras	1/4 tasse	laitue émincée
1 c. soupe	sauce chili		

1. Dans un poêlon sur feu moyen, faire chauffer l'escalope jardinière pendant 2 min de chaque côté.
2. Entre-temps, mélanger la mayonnaise et la sauce chili, et en tartiner les 2 moitiés de pain.
3. Déposer l'escalope jardinière sur la moitié de pain du dessous.
4. Garnir d'oignon, de tomate, de laitue et refermer avec l'autre moitié de pain.

DONNE 1 BURGER

HOT-DOG VEGGIE CHICAGO

AVEC LES JUMBO VEGGIE DOGS YVES

Votre médecin se réjouirait certainement de la valeur nutritive de ce savoureux hot-dog ! D'autant plus que le hot-dog Veggie Chicago fournit plus du tiers des protéines requises chaque jour (soit environ 65 grammes pour un homme et 50 grammes pour une femme).

1	Jumbo Veggie Dog Yves	1 c. soupe	tomate en dés
1	pain hot-dog	2 c. soupe	piment fort mariné, tranché ou haché
1 c. soupe	relish sucrée	2 c. thé	oignon haché
1 c. soupe	moutarde préparée		
1	cornichon mariné, tranché		

1. Faire cuire à la vapeur ou faire mijoter le Jumbo Veggie Dog pendant 3-5 min ou jusqu'à ce qu'il soit bien chaud. (Cuisson aux micro-ondes : couvrir la saucisse d'eau et faire chauffer, à couvert, pendant 2-3 min à puissance maximale.)
2. Tartiner une moitié de pain de relish et l'autre de moutarde.
3. Déposer le Jumbo Veggie Dog dans le pain et garnir de cornichon, de tomate, de piment et d'oignon.

DONNE 1 HOT-DOG

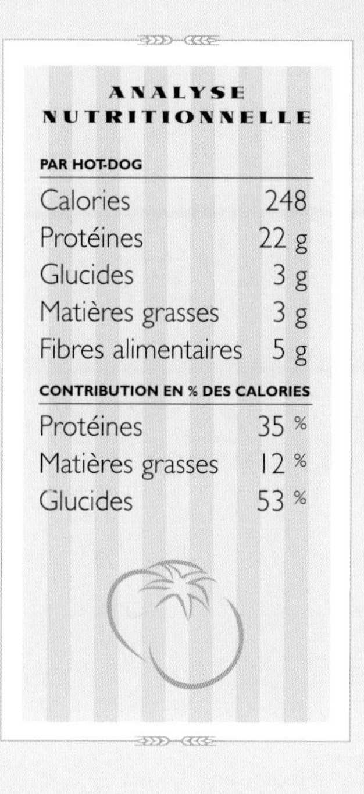

ANALYSE NUTRITIONNELLE

PAR HOT-DOG	
Calories	248
Protéines	22 g
Glucides	3 g
Matières grasses	3 g
Fibres alimentaires	5 g

CONTRIBUTION EN % DES CALORIES	
Protéines	35 %
Matières grasses	12 %
Glucides	53 %

HOT-DOG VEGGIE TEX-MEX

AVEC LE JUMBO VEGGIE DOG ET CHILI YVES

Une authentique saveur du Texas ! Nous suggérons d'utiliser ici le Jumbo Veggie Dog, mais vous pouvez tout aussi bien utiliser le Jumbo Veggie Dog épicé, les saucisses au chili, les saucisses Veggie ou les saucisses au tofu Yves.

ANALYSE NUTRITIONNELLE

PAR HOT-DOG	
Calories	346
Protéines	28 g
Glucides	33 g
Matières grasses	11 g
Fibres alimentaires	5 g

CONTRIBUTION EN % DES CALORIES	
Protéines	32 %
Matières grasses	30 %
Glucides	38 %

1	Jumbo Veggie Dog Yves	2–3 c. thé	mayonnaise faible en gras
3 c. soupe	Veggie chili Yves	1 c. soupe	moutarde préparée
1	pain hot-dog	2 c. soupe	fromage cheddar râpé

1. Faire cuire à la vapeur ou faire mijoter le Jumbo Veggie Dog pendant 3-5 min ou jusqu'à ce qu'il soit bien chaud. (Cuisson aux micro-ondes : couvrir la saucisse d'eau et faire chauffer, à couvert, pendant 2-3 min à puissance maximale.)
2. Entre-temps, dans une petite casserole ou au four à micro-ondes, réchauffer le Veggie chili.
3. Tartiner le pain de mayonnaise et y déposer le Jumbo Veggie Dog.
4. Garnir de moutarde, de Veggie chili et de fromage.

DONNE 1 HOT-DOG

VOTRE ALIMENTATION DEVIENT-ELLE PLUS VÉGÉTARIENNE ? ASSUREZ-VOUS D'OBTENIR VOTRE VITAMINE B12

Indispensable à la santé du système nerveux et à la formation des globules rouges, la vitamine B12 est produite dans la nature par des organismes unicellulaires minuscules tels que des bactéries. On la retrouve aussi dans certains aliments d'origine animale. Pour un apport adéquat en vitamine B12, il est recommandé aux personnes optant pour une alimentation végétarienne de consommer des suppléments ou des aliments enrichis. Prenez soin de vérifier la présence de vitamine B12 (cyanocobalamine) dans la liste des ingrédients.

Plusieurs des produits Yves Veggie Cuisine sont enrichis de vitamine B12; c'est le cas des tranches déli, du sans-viande hachée original ou Italien, des tranches Veggie pepperoni, du Veggie pizza pepperoni, du Veggie bacon fumé, des saucisses Veggie et des saucisses à déjeuner, ainsi que d'autres produits mentionnés ci-dessous.

Seule une quantité infime de vitamine B12 est nécessaire chaque jour : à peine plus de deux microgrammes.* Cette quantité peu têtre aisément obtenue en consommant une portion de sans-viande hachée et un Jumbo Veggie Dog. Au cours de la grossesse, il est recommandé d'augmenter de 50 % l'apport en vitamine B12. Même si une très petite quantité est suffisante, la vitamine B12 demeure essentielle à la vie, à l'instar des autres vitamines.

PRODUIT D'YVES VEGGIE CUISINE	PORTION	VITAMINE B12 PAR PORTION (MCG)	% VALEUR QUOTIDIENNE (ÉTATS-UNIS)	% APPORT QUOTIDIEN RECOMMANDÉ (CANADA)
Veggie bacon fumé	3 tranches (57 g)	1,2 mcg	20 %	41 %
Tranches déli	4 tranches (62 g)	1,2 mcg	20 %	61 %
Sans-viande hachée original	1/3 tasse (55 g)	1,4 mcg	25 %	71 %
Sans-viande hachée Italien	1/3 tasse (55 g)	1,4 mcg	25 %	71 %
Tranches Veggie pepperoni	4 tranches (62 g)	1,5 mcg	30 %	78 %
Veggie pizza pepperoni	16 tranches (48 g)	1,2 mcg	20 %	60 %
Saucisse Veggie	1 (46 g)	0,9 mcg	15 %	44 %
Saucisse au tofu	1 (38 g)	0,7 mcg	10 %	36 %
Saucisse au chili	1 (46 g)	0,8 mcg	15 %	42 %
Jumbo Veggie Dog épicé	1 (75 g)	1,4 mcg	25 %	69 %
Jumbo Veggie Dog	1 (75 g)	1,5 mcg	25 %	69 %
Saucisse à déjeuner	2 (50 g)	0,9 mcg	15 %	44 %
Veggie burger burger	1 (85g)	1,4 mcg	35 %	70 %
Tranches de dinde Veggie	4 tranches (62g)	1,2 mcg	20 %	61 %
Tranches de jambon Veggie	4 tranches (62g)	1,1 mcg	20 %	54 %

* 1 MICROGRAMME (OU MCG) ÉQUIVAUT À 1/1 000 000 DE GRAMME.

JUMBO VEGGIE DOG YVES

HOT-DOG VEGGIE TOUT GARNI

AVEC LES JUMBO VEGGIE DOGS YVES

Les condiments, notamment la moutarde, sont indissociables des hot-dogs. Les graines jaunes, de saveur douce, et les graines brunes plus piquantes composent, seules ou en combinaison, d'innombrables variétés de moutardes. Saviez-vous qu'il existe plus de 1 000 variétés de moutardes sur le marché et que la plus grande partie de la récolte mondiale de moutarde se fait dans les prairies canadiennes ? Et que c'est le curcuma qui leur donne parfois cette couleur jaune vif si particulière ? Chaque année, de nouvelles moutardes « gourmet » apparaissent à l'épicerie. N'hésitez pas à en essayer une nouvelle avec votre prochain hot-dog ou burger à la Veggie !

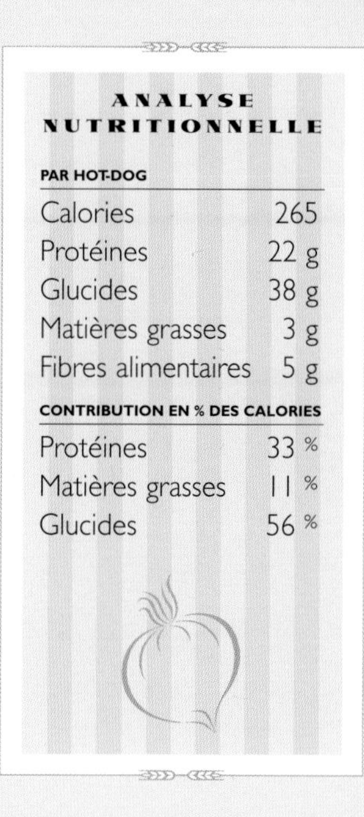

ANALYSE NUTRITIONNELLE

PAR HOT-DOG	
Calories	265
Protéines	22 g
Glucides	38 g
Matières grasses	3 g
Fibres alimentaires	5 g

CONTRIBUTION EN % DES CALORIES	
Protéines	33 %
Matières grasses	11 %
Glucides	56 %

1	Jumbo Veggie Dog Yves
1	pain hot-dog
2 c. soupe	choucroute
1 c. soupe	relish sucrée
1 c. soupe	ketchup
2 c. soupe	oignon haché
1 c. soupe	moutarde douce préparée

1. Faire réchauffer à la vapeur ou faire mijoter le Jumbo Veggie Dog pendant 3-5 min. (Cuisson aux micro-ondes : couvrir la saucisse d'eau et faire chauffer, à couvert, pendant 2-3 min à puissance maximale.)
2. Entre-temps, dans une petite casserole ou au four à micro-ondes, faire réchauffer la choucroute.
3. Garnir le pain de choucroute égouttée et y déposer le Jumbo Veggie Dog.
4. Garnir de relish, de ketchup et de moutarde.
5. Parsemer d'oignon.

DONNE 1 HOT-DOG

Entrées

FARFALLE AU VEGGIE PEPPERONI

TOUT SUR LES GRAS

Les scientifiques s'accordent à dire que l'excès de gras est dommageable pour la santé. Les régimes alimentaires riches en gras consommés par bon nombre de Nord-Américains augmentent les risques de maladie cardiaque, d'hypertension, de diabète adulte, de certains cancers et d'obésité.

Mais les gras ne sont pas nécessairement mauvais. En fait, certains types de gras, les acides gras essentiels, sont même des prérequis à une bonne santé. Ils incluent les acides gras oméga-3 (par exemple, dans l'huile de lin) et oméga-6 (dans les noix, les graines, les céréales entières, les légumineuses et les légumes). Trois types de gras sont particulièrement à surveiller : les gras saturés, les acides gras trans et le cholestérol.

Yves Veggie Cuisine vous simplifie les choses avec une gamme de produits très savoureux et sans gras. Nos produits s'intègrent bien à une alimentation procurant protéines et autres nutriments essentiels, tout en apportant des quantités faibles ou modérées de gras, à votre goût. Plusieurs de nos recettes proposent des quantités variables d'huile ou des ingrédients facultatifs telle la crème sure : avec ou sans eux, le résultat est délicieux. On peut manger santé tout en satisfaisant ses papilles gustatives et son appétit !

DES ALIMENTS RICHES EN ÉNERGIE POUR LES GENS ACTIFS, JEUNES ET MOINS JEUNES

Tous vos repas devraient-ils compter moins de 30 % des calories provenant des matières grasses ? Pas nécessairement : c'est la moyenne des repas prise à long terme qui compte pour un adulte de taille moyenne. Si votre alimentation est presque toujours faible en gras, vous pouvez vous permettre des écarts de temps en temps.

Certaines personnes maigres, ainsi que les athlètes qui dépensent beaucoup d'énergie, n'arrivent pas toujours à manger suffisamment. Ils y parviennent en consommant des plats plus gras à l'occasion et de grosses portions d'aliments nutritifs riches en glucides et des collations entre les repas.

Les jeunes en pleine croissance, en particulier ceux qui n'ont pas un gros appétit, ont besoin de sources concentrées de calories. Pour un repas riche en énergie, servez la lasagne en page 86 avec une salade et du pain frais et croustillant.

FARFALLE AU VEGGIE PEPPERONI

AVEC LES TRANCHES VEGGIE PEPPERONI YVES

Si vous n'avez jamais cuisiné de fenouil ou de rapini (brocoli italien), essayez-les dans cet élégant plat de pâtes. Notre recette combine des saveurs raffinées avec d'intéressantes textures, tout en fournissant des antioxydants tels le bêta-carotène et la vitamine C.

3 tasses	pâtes en forme de boucles (farfalle)	½	poivron rouge, coupé en julienne
6 tranches	Veggie pepperoni Yves	⅓ tasse	vin non-alcoolisé (ou vin blanc)
1 ½ c. soupe	huile d'olive	¾ tasse	bouillon de légumes
1 tasse	oignon tranché en fines lanières	1 ½ tasse	petits bouquets de brocoli (ou rapini)
1 tasse	fenouil (ou courgette) tranché en fines lanières	Au goût	sel de mer et poivre frais moulu
¾ tasse	courge musquée en dés de ¼"	Au goût	fromage parmesan (ou pecorino) frais râpé (facultatif)
1 c. thé	thym frais		

1. Faire cuire les pâtes selon les directives indiquées sur l'emballage. Égoutter.
2. Dans une grande casserole sur feu doux, faire sauter l'oignon dans l'huile pendant 2 min. Ajouter le Veggie pepperoni; faire sauter pendant 3 min. Ajouter le fenouil et la courge; faire sauter pendant 1 min.
3. Ajouter le thym et le poivron et faire cuire à feu moyen-élevé pendant 2 min. Ajouter le vin, amener à ébullition et laisser mijoter pendant 1-2 min.
4. Incorporer le bouillon, ramener à ébullition, puis ajouter le brocoli. Faire cuire jusqu'à tendreté, pendant 2-3 min.
5. Incorporer les pâtes et faire cuire pendant 1 min. Assaisonner au goût. Servir parsemé de fromage (facultatif).

DONNE 3 PORTIONS

(Voir photo p. 81)

ANALYSE NUTRITIONNELLE

PAR PORTION	
Calories	316
Protéines	16 g
Glucides	44 g
Matières grasses	8 g
Fibres alimentaires	6 g

CONTRIBUTION EN % DES CALORIES	
Protéines	19 %
Matières grasses	22 %
Glucides	59 %

CANNELLONI AUX ÉPINARDS

AVEC LE SANS-VIANDE HACHÉE YVES

Le chef enthousiaste et le gourmet voudront certainement essayer cette recette ! La sauce proposée (p. 90) peut être remplacée par votre sauce commerciale préférée. Au lieu du cannelloni traditionnel, utilisez des lasagnes fraîches sur lesquelles vous étendrez la préparation. Si vous n'avez pas de sac à pâtisserie, lisez la note à la page suivante.

ANALYSE NUTRITIONNELLE

PAR PORTION	
Calories	410
Protéines	26 g
Glucides	46 g
Matières grasses	13 g
Fibres alimentaires	11 g

CONTRIBUTION EN % DES CALORIES	
Protéines	25 %
Matières grasses	30 %
Glucides	45 %

½ paquet	sans-viande hachée Yves
3 tranches	Veggie bacon fumé Yves hachées
4 tasses	épinards frais équeutés, lavés et essorés
½	oignon moyen, haché
2 c. soupe	huile d'olive
2–3	gousses d'ail
½ c. thé	thym
½ c. thé	basilic
½ c. thé	sel
¼ c. thé	marjolaine
¼ c. thé	poivre
1	blanc d'œuf
½ tasse	fromage ricotta faible en gras
2 c. soupe	fromage parmesan râpé
2 c. soupe	chapelure
2 c. soupe	persil frais haché
4	pâtes à lasagne fraîches
4 tasses	sauce tomate (commerciale ou recette p. 90)
½ tasse	eau

1. Préchauffer le four à 350°F.
2. Dans un grand poêlon sur feu moyen, faire cuire les épinards avec ¼ tasse d'eau pendant 3–4 min ou jusqu'à ce qu'ils s'affaissent.
3. Les laisser tiédir, puis les essorer en les pressant dans vos mains. Hacher finement et mettre de côté.
4. Dans un poêlon sur feu moyen, faire attendrir l'oignon dans l'huile pendant 4 min.
5. Ajouter l'ail, le thym, le basilic, le sel, la marjolaine et le poivre; faire sauter pendant 1 min.

SUITE À LA PAGE SUIVANTE

CANNELLONI AUX ÉPINARDS

6. Au robot culinaire, hacher grossièrement l'oignon cuit avec le sans-viande hachée, le Veggie bacon fumé et le blanc d'œuf. Verser dans un grand bol.
7. Incorporer les épinards, les fromages, la chapelure et le persil à la préparation Veggie.
8. Huiler légèrement un plat de 9 x 12 pouces allant au four et y étendre 1/2 tasse de sauce tomate.
9. Mettre la moitié du mélange aux épinards dans un sac à pâtisserie muni d'une douille de 1 po.
10. Couper les pâtes en deux à mi-longueur et les étaler sur le comptoir.
11. À la douille, déposer le mélange au bas de chaque pâte.
12. Badigeonner le haut des pâtes d'eau.
13. Rouler les pâtes en pressant délicatement la bordure pour sceller.
14. Couper les rouleaux en deux, puis les déposer côté scellé vers le bas dans le plat.
15. Recouvrir du reste de la sauce tomate et de l'eau; couvrir et faire cuire au four pendant 1 hre ou jusqu'à ce que les pâtes soient cuites.

DONNE 4 PORTIONS

* **NOTE** : Si vous n'avez pas de sac à pâtisserie, étendez à l'aide d'une cuillère une épaisseur de 1/4 pouce de préparation sur chaque pâte, en laissant un espace suffisant (1/2 pouce) pour sceller la pâte.

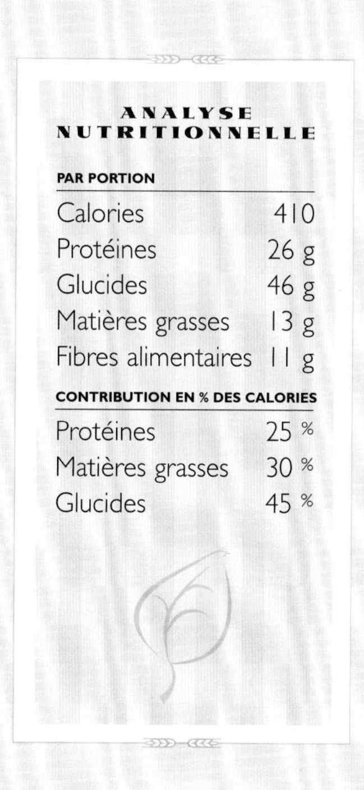

ANALYSE NUTRITIONNELLE

PAR PORTION	
Calories	410
Protéines	26 g
Glucides	46 g
Matières grasses	13 g
Fibres alimentaires	11 g
CONTRIBUTION EN % DES CALORIES	
Protéines	25 %
Matières grasses	30 %
Glucides	45 %

LASAGNE AU FOUR

AVEC LE SANS-VIANDE HACHÉE YVES

ANALYSE NUTRITIONNELLE

PAR PORTION	
Calories	457
Protéines	36 g
Glucides	39 g
Matières grasses	18 g
Fibres alimentaires	6 g

CONTRIBUTION EN % DES CALORIES	
Protéines	31 %
Matières grasses	35 %
Glucides	34 %

Tout un défi – relevé avec brio – que de créer une version plus légère et santé de ce classique en conservant la combinaison gagnante des saveurs et des textures. Une portion fournit plus de la moitié des protéines et du calcium nécessaires chaque jour, en plus d'être une excellente source de fer, de zinc et de vitamines B. Doublez la recette et congelez-en. Vous n'aurez qu'à décongeler la lasagne au réfrigérateur et à la faire cuire au moment voulu.

12	pâtes à lasagne
5 1/2 tasses	sauce bolonaise (p. 88)
3/4 tasse	oignon haché
1 c. soupe	huile d'olive
1	gousse d'ail
1 tasse	fromage ricotta faible en gras
1	œuf
1/4 tasse	épinards surgelés, décongelés et complètement essorés
1/4 c. thé	sel
1/4 c. thé	poivre noir
1/8 c. thé	muscade
2 3/4 tasses	mozzarella faible en gras râpé
1 tasse	fromage parmesan râpé
2 c. soupe	persil haché

1. Préchauffer le four à 350°F.
2. Faire cuire les pâtes selon les directives indiquées sur l'emballage.
3. Dans une casserole sur feu moyen, faire dorer l'oignon dans l'huile. Ajouter l'ail et faire sauter pendant 1 min. Mettre de côté.
4. Entre-temps, dans un bol, mélanger le ricotta avec l'œuf, les épinards, le sel, le poivre et la muscade. Incorporer l'oignon et l'ail.
5. Dans un plat de 9 x 13 pouces allant au four, légèrement huilé, verser 1/2 tasse de sauce bolonaise et y déposer 3 pâtes à lasagne.
6. Garnir de 1 1/2 tasse de sauce bolonaise, 1 tasse de mozzarella et 1/3 tasse de parmesan. Déposer 3 autres pâtes et répéter les garnitures. Ajouter 3 autres pâtes.
7. Étendre le mélange de ricotta sur le dessus; couvrir du reste de pâtes et de sauce. Garnir du reste de parmesan et de mozzarella.
8. Faire cuire pendant 30–40 min ou jusqu'à ce que la sauce bouillonne. Décorer de persil et servir.

DONNE 8 PORTIONS

SPAGHETTI AUX BOULETTES VEGGIE

AVEC LE SANS-VIANDE HACHÉE YVES

Deux questions reviennent toujours : combien de spaghetti par personne ? Et comment savoir si le spaghetti est bien cuit ? Voici enfin des réponses ! Pour une portion visant à satisfaire un appétit moyen d'adulte, la poignée de spaghetti sec aura le diamètre d'une pièce de 25 cents. Par ailleurs, les pâtes sont cuites lorsqu'elles sont *al dente*, c'est-à-dire encore un peu fermes sous la dent.

1	recette de boulettes Veggie (p. 91)	4 tasses	sauce tomate (commerciale ou recette p. 90)
1 lb	spaghetti		

1. Préparer les boulettes Veggie selon la recette (p. 91).
2. Entre-temps, faire cuire les pâtes selon les directives sur l'emballage.
3. Dans une petite casserole, réchauffer les boulettes Veggie dans la sauce tomate pendant 5 min. Servir sur les pâtes égouttées.

DONNE 4 PORTIONS

ANALYSE NUTRITIONNELLE

PAR PORTION	
Calories	700
Protéines	39 g
Glucides	122 g
Matières grasses	5 g
Fibres alimentaires	14 g

CONTRIBUTION EN % DES CALORIES	
Protéines	22 %
Matières grasses	7 %
Glucides	71 %

UNE BONNE IDÉE

Mangez-vous plus de protéines végétales qu'il y a une dizaine d'années ? Plusieurs grands personnages tels que Pythagore, Platon, Léonard de Vinci, Henry David Thoreau, Léon Tolstoï, George Bernard Shaw, Mahatma Gandhi et Albert Einstein ont été des partisans du végétarisme.

« Rien ne sera aussi bénéfique pour la santé humaine et pour augmenter les chances de survie sur la terre que d'évoluer vers un régime alimentaire végétarien. »

ALBERT EINSTEIN
1879–1955

SAUCE BOLONAISE

AVEC LE SANS-VIANDE HACHÉE YVES

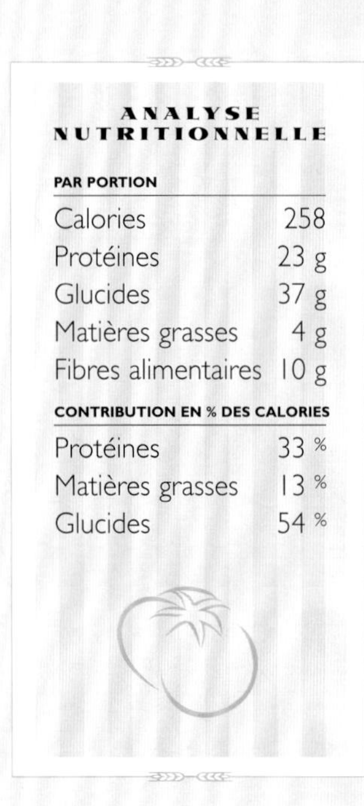

ANALYSE NUTRITIONNELLE

PAR PORTION	
Calories	258
Protéines	23 g
Glucides	37 g
Matières grasses	4 g
Fibres alimentaires	10 g

CONTRIBUTION EN % DES CALORIES	
Protéines	33 %
Matières grasses	13 %
Glucides	54 %

Un plat que tout le monde aime, le spaghetti sauce bolonaise reste fidèle aux riches saveurs de la cuisine italienne lorsque préparé avec le sans-viande hachée Yves. Faible en matières grasses, cette sauce convient parfaitement pour la lasagne au four (p. 86). Doublez la recette et congelez-en !

1 paquet	sans-viande hachée Yves	1 c. soupe	cassonade
½	oignon moyen, haché	1 c. thé	basilic séché
1–2 c. soupe	huile d'olive	½ c. thé	origan séché
2–3	gousses d'ail, hachées fin	½ c. thé	sel
		¼ c. thé	poivre noir
½ tasse	bouillon de légumes (ou vin rouge)	1 boîte de 28 oz	tomates italiennes (ou régulières), en purée
2	feuilles de laurier		
		⅓ tasse	pâte de tomate

1. Dans un bol, émietter le sans-viande hachée avec une fourchette. Mettre de côté.
2. Dans une casserole sur feu moyen, faire attendrir l'oignon dans l'huile pendant 5 min environ. Ajouter l'ail; faire sauter pendant 1 min.
3. Ajouter le bouillon (ou le vin) et tous les assaisonnements. Laisser réduire de moitié, pendant environ 4 min.
4. Incorporer les tomates et la pâte de tomate. Amener à ébullition, puis réduire le feu et laisser mijoter pendant 10-25 min (une cuisson plus longue accentue les saveurs).
5. Incorporer le sans-viande hachée et réchauffer le tout.
6. Ajuster l'assaisonnement et servir sur un lit de spaghetti.

DONNE 4 PORTIONS

SAUCE BOLONAISE

SAUCE TOMATE

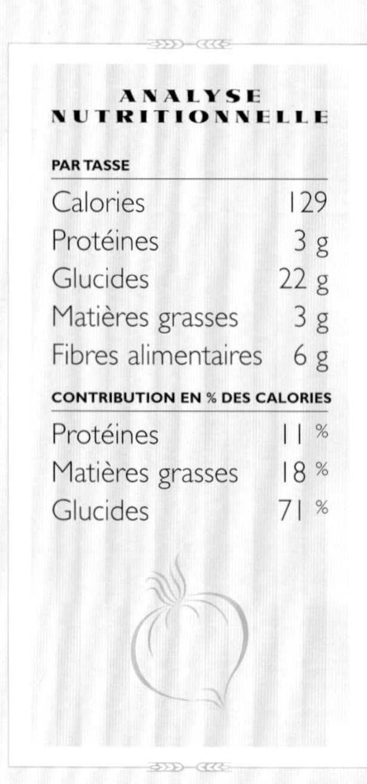

ANALYSE NUTRITIONNELLE

PAR TASSE	
Calories	129
Protéines	3 g
Glucides	22 g
Matières grasses	3 g
Fibres alimentaires	6 g

CONTRIBUTION EN % DES CALORIES	
Protéines	11 %
Matières grasses	18 %
Glucides	71 %

On trouve maintenant une sélection de plus en plus grande de délicieuses sauces commerciales élaborées avec des champignons, de l'ail rôti, du poivron rouge, des herbes et autres assaisonnements. Mais si vous préférez préparer votre propre sauce tomate, essayez cette recette ! Elle convient parfaitement pour la sauce bolonaise (p. 88), les cannelloni (p. 84), les cigares au chou (p. 94), la pizza hawaïenne (p. 37), et la pizza au Veggie pepperoni (p. 100).

½	oignon moyen, haché	½ c. thé	origan
1–2 c. soupe	huile d'olive	½ c. thé	sel
2–3	gousses d'ail, hachées fin	¼ c. thé	poivre noir
½ tasse	bouillon de légumes (ou vin rouge)	1 boîte de 28 oz	tomates italiennes (ou régulières), en purée
2	feuilles de laurier	⅓ tasse	pâte de tomate
1 c. soupe	cassonade		
1 c. thé	basilic		

1. Dans une casserole sur feu moyen, faire attendrir l'oignon dans l'huile pendant environ 5 min. Ajouter l'ail et faire sauter pendant 1 min.
2. Incorporer le bouillon (ou le vin) et tous les assaisonnements; laisser réduire de moitié, environ 4 min.
3. Incorporer les tomates et la pâte de tomate. Amener à ébullition, réduire le feu et laisser mijoter pendant 10 min.
4. Assaisonner au goût.

DONNE 5 ½ TASSES

BOULETTES VEGGIE

AVEC LE SANS-VIANDE HACHÉE YVES

Le succès de cette recette repose sur le développement du gluten. Pour y arriver, vous pouvez utiliser un batteur électrique muni d'une spatule, un robot culinaire équipé d'une lame de plastique, ou encore mélanger vigoureusement à la main à l'aide d'un pilon à pommes de terre. Vous raffermirez vos muscles par la même occasion !

1 paquet	sans-viande hachée Yves
1	blanc d'oeuf
1/4 tasse	gluten de blé
2 c. soupe	chapelure
2 c. thé	moutarde
2 c. thé	sauce Worcestershire
1/4 c. thé	basilic
1/4 c. thé	thym
1/4 c. thé	origan
1/4 c. thé	sel

1. Préchauffer le four à 350°F.
2. Mélanger tous les ingrédients à l'aide d'un batteur électrique à vitesse moyenne, d'un robot culinaire ou d'un pilon, pendant environ 2 min.
3. Façonner en boulettes, en roulant 2 c. soupe du mélange dans vos mains pour chacune. Déposer les boulettes sur une plaque à cuisson légèrement huilée.
4. Faire cuire au four pendant 20 min.

DONNE 12–18 BOULETTES

ANALYSE NUTRITIONNELLE

PAR 1/4 RECETTE	
Calories	129
Protéines	21 g
Glucides	10 g
Matières grasses	5 g
Fibres alimentaires	4 g

CONTRIBUTION EN % DES CALORIES	
Protéines	66 %
Matières grasses	4 %
Glucides	30 %

YVES VEGGIE CUISINE

BOULETTES AIGRES-DOUCES VEGGIE

AVEC LE SANS-VIANDE HACHÉE YVES

Dans cette recette, vous pouvez remplacer les boulettes Veggie par des escalopes jardinière Yves. Vous pourrez alors rassasier deux adultes affamés. Coupez les escalopes en carrés de 1 pouce et, à l'étape 5, ajoutez-les à la place des boulettes.

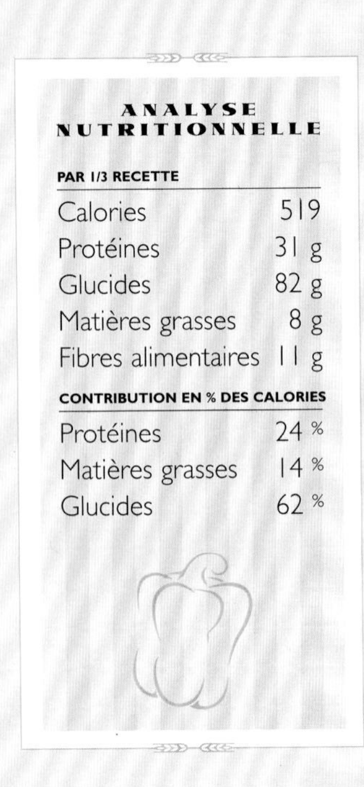

ANALYSE NUTRITIONNELLE

PAR 1/3 RECETTE	
Calories	519
Protéines	31 g
Glucides	82 g
Matières grasses	8 g
Fibres alimentaires	11 g

CONTRIBUTION EN % DES CALORIES	
Protéines	24 %
Matières grasses	14 %
Glucides	62 %

1	recette de boulettes Veggie (p. 91)
1	oignon rouge moyen, coupé en gros dés
3	gousses d'ail, hachées fin
1 c. soupe	gingembre frais haché
1 tasse	poivron rouge coupé en dés
1 tasse	poivron vert coupé en dés
1–2 c. soupe	huile d'olive
1 tasse	ananas en gros morceaux

SAUCE

1 tasse	jus d'ananas
1 ½ c. soupe	fécule de maïs (ou poudre d'arrow-root)
⅓ tasse	cassonade
¼ tasse	vinaigre de riz (ou vinaigre de vin blanc)
3 c. soupe	sauce soja
2 c. soupe	pâte de tomate
1 ½ c. thé	huile de sésame grillé

1. Préparer et faire cuire les boulettes Veggie (recette à la page 91).
2. Entre-temps, dans un poêlon sur feu moyen, faire revenir l'oignon, l'ail, le gingembre, les poivrons dans l'huile pendant 5 min.
3. Dans un pot fermant bien, mélanger le fécule de maïs au jus, puis incorporer le reste des ingrédients de la sauce.
4. Ajouter la sauce aux légumes et faire cuire en remuant à l'occasion, jusqu'à ce que la sauce épaississe.
5. Ajouter l'ananas et les boulettes; bien réchauffer le tout.

DONNE 3–4 PORTIONS

FÈVES AUX SAUCISSES VEGGIE

AVEC LES SAUCISSES VEGGIE YVES

Les cow-boys adorent les fèves cuites en sauce, et les enfants aussi. En réalité, c'est un favori de tous ! Mais si jamais vous aviez des restes de cette recette, utilisez-les pour préparer des hot-dogs tex-mex à la Veggie (p. 76).

1 paquet	saucisses Veggie Yves, en morceaux de 1/2 pouce	2 c. soupe	sauce Worcestershire
1	oignon moyen, coupé en dés	1 c. soupe	moutarde sèche
1–2 c. soupe	huile d'olive	1 c. soupe	poudre de cumin
4	gousses d'ail, hachées	Au goût	sel *
3/4 tasse	pâte de tomate	1 1/2 c. thé	thym
1/3 tasse	mélasse	1 c. thé	poivre moulu
3 c. soupe	vinaigre de vin rouge	1/8 c. thé	clou de girofle moulu
2 c. soupe	sirop d'érable (ou cassonade)	4 1/2 tasses	eau
		9 1/2 tasses	haricots blancs cuits (3 tasses d' haricots avant cuisson) ou en conserve

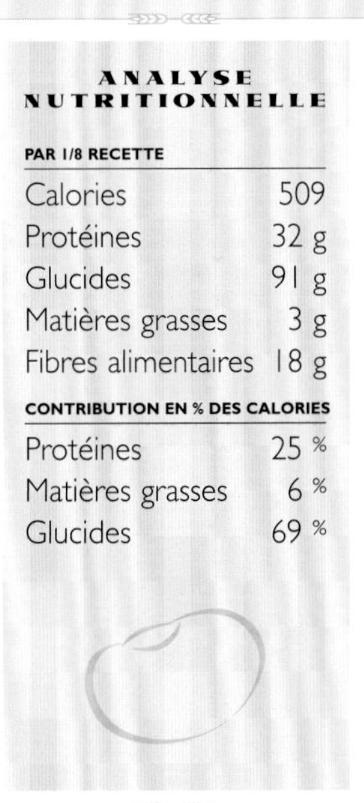

ANALYSE NUTRITIONNELLE

PAR 1/8 RECETTE	
Calories	509
Protéines	32 g
Glucides	91 g
Matières grasses	3 g
Fibres alimentaires	18 g

CONTRIBUTION EN % DES CALORIES	
Protéines	25 %
Matières grasses	6 %
Glucides	69 %

1. Préchauffer le four à 350°F.
2. Dans une grande casserole sur feu moyen, faire attendrir l'oignon pendant environ 5 min.
3. Ajouter l'ail et faire sauter pendant 2 min.
4. Incorporer le reste des ingrédients, sauf les saucisses et les haricots. Bien mélanger.
5. Ajouter les haricots et transférer dans un plat allant au four.
6. Couvrir et faire cuire au four pendant 1 1/2 heure.
7. Incorporer les saucisses Veggie et poursuivre la cuisson pendant 30 min.

DONNE 6–8 PORTIONS GÉNÉREUSES

*NOTE: Si vous utilisez des haricots en conserve, n'ajoutez pas beaucoup de sel à la recette.

CIGARES AU CHOU

AVEC LE SANS-VIANDE HACHÉE YVES

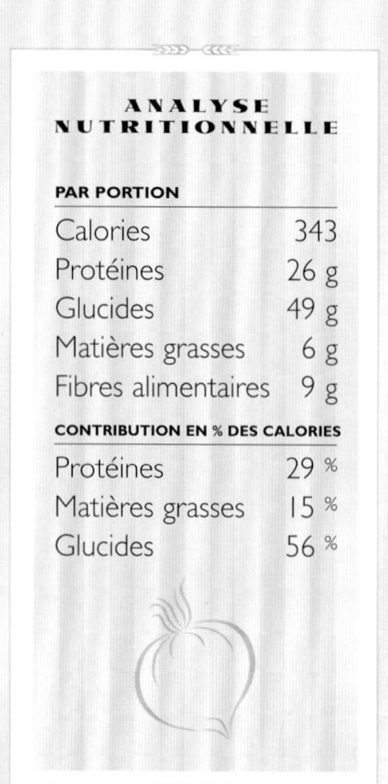

ANALYSE NUTRITIONNELLE

PAR PORTION	
Calories	343
Protéines	26 g
Glucides	49 g
Matières grasses	6 g
Fibres alimentaires	9 g
CONTRIBUTION EN % DES CALORIES	
Protéines	29 %
Matières grasses	15 %
Glucides	56 %

Voici une version très nutritive et beaucoup moins grasse que la recette originale. Ces cigares au chou regorgent de minéraux et de vitamines. Le sans-viande hachée Yves fournit protéines, fer, zinc, vitamine B12 et fibres. Chaque portion représente une source de vitamines A, B et C, et renferme plus de calcium qu'une demi-tasse de lait !

1 paquet	sans-viande hachée Yves	½ c. thé	sel
12	grandes feuilles de chou vert	⅛ c. thé	poivre moulu
2 tasses	riz cuit	½ tasse	tomates en conserve (ou fraîches) égouttées et hachées
1	œuf		
½	oignon moyen, coupé en dés	¼ tasse	persil frais haché
		¼ tasse	chapelure
3	gousses d'ail, hachées fin	2 tasses	sauce tomate (commerciale ou recette p. 90)
1–2 c. soupe	huile d'olive		
½ c. thé	thym		

1. Préchauffer le four à 350°F.
2. Couper et jeter le cœur du chou. Plonger le chou dans une grande casserole d'eau bouillante pendant 1 min. À l'aide de 2 fourchettes, détacher une à la fois 12 feuilles de chou. Retirer les feuilles de l'eau.
3. Retirer le reste du chou de l'eau et mettre de côté. Amener l'eau de cuisson à ébullition. Y faire cuire les 12 feuilles pendant 5 min, puis les plonger rapidement dans l'eau froide pour arrêter la cuisson. (La précuisson des feuilles réduit le temps de cuisson au four.)

SUITE À LA PAGE SUIVANTE

4. Déposer les feuilles sur une planche à découper et retirer 2 pouces de la nervure centrale à la base de chacune. Mettre de côté les feuilles.
5. Dans un grand bol, écraser à la fourchette le sans-viande hachée. Incorporer le riz et l'œuf.
6. Dans une casserole sur feu moyen, faire attendrir l'oignon et l'ail dans l'huile pendant environ 5 min. Incorporer le thym, le sel, le poivre et les tomates. Retirer du feu; incorporer le persil et la chapelure.
7. Incorporer la préparation d'oignons au mélange de sans-viande hachée.
8. Déposer 1/2 tasse du mélange au centre de chaque feuille. Rouler chaque feuille en petit paquet. Déposer dans un plat allant au four et légèrement huilé.
9. Verser la sauce tomate sur les feuilles de chou farcies et faire cuire au four pendant 30–40 min ou jusqu'à ce que les feuilles de chou soient tendres.

DONNE 4 PORTIONS DE 3 CIGARES CHACUNE

ANALYSE NUTRITIONNELLE

PAR PORTION	
Calories	343
Protéines	26 g
Glucides	49 g
Matières grasses	6 g
Fibres alimentaires	9 g
CONTRIBUTION EN % DES CALORIES	
Protéines	29 %
Matières grasses	15 %
Glucides	56 %

GOULACHE HONGROISE

AVEC LES VEGGIE BURGER BURGERS YVES

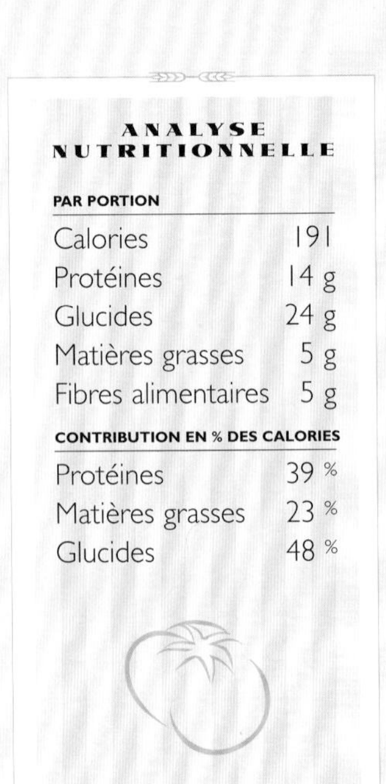

ANALYSE NUTRITIONNELLE

PAR PORTION	
Calories	191
Protéines	14 g
Glucides	24 g
Matières grasses	5 g
Fibres alimentaires	5 g

CONTRIBUTION EN % DES CALORIES	
Protéines	39 %
Matières grasses	23 %
Glucides	48 %

Le paprika rehausse la saveur et donne de la couleur à de nombreux plats traditionnels hongrois. D'abord originaires du Mexique, les poivrons rouges doux avec lesquels on le fabrique sont parvenus à la Hongrie via la région méditerranéenne. Les poivrons sont séchés puis moulus, révélant ainsi une poudre d'un beau rouge foncé. Pour mieux conserver le paprika, utilisez un récipient opaque et hermétique, à l'abri de l'air et de la lumière. Si vos pots à épices sont clairs, cachez-les dans le garde-manger ! Pour un maximum de couleur et d'arôme, achetez toujours le paprika en petites quantités et jetez-le s'il devient brun ou éventé.

2	Veggie burger burgers	2 c. soupe	farine tout usage
½	oignon moyen, haché	1 c. soupe	paprika
2–3	gousses d'ail, hachées fin	1 ½ tasse	bouillon de légumes
1–2 c. soupe	huile d'olive	½ tasse	tomates en conserve égouttées et hachées
½ c. thé	graines de carvi moulues		
½ tasse	bouillon (ou vin blanc)	1 tasse	pommes de terre en dés

1. Couper chaque Veggie burger burger en 4 lanières, puis tourner à 90° et couper de nouveau en 4 lanières.
2. Dans une casserole sur feu moyen, faire attendrir l'oignon et l'ail dans l'huile pendant 5 min.
3. Ajouter le carvi et 1/2 tasse de bouillon (ou vin) et laisser réduire de moitié pendant environ 4 min.
4. Incorporer la farine et le paprika, puis ajouter graduellement le bouillon, en remuant sans arrêt. Ajouter le reste des ingrédients. Amener à ébullition, réduire le feu, couvrir et laisser mijoter pendant 10 min ou jusqu'à ce que les pommes de terre soient tendres.

DONNE 3 PORTIONS

CARI DE LÉGUMES SUR RIZ BASMATI

AVEC LES ESCALOPES JARDINIÈRES YVES

Les caris sont de savants mélanges d'épices moulues qui incluent traditionnellement du cumin, de la coriandre, des piments du chili, du clou de girofle, de la cardamome, de la cannelle et du poivre noir. C'est le curcuma qui donne à ces mélanges leur couleur jaune caractéristique. Des caris doux aux caris très épicés, les recettes sont transmises de génération en génération au sein de chaque famille indienne.

2	escalopes jardinière Yves
1 tasse	riz basmati non-cuit
1/4 tasse	raisins secs
1/4 tasse	eau bouillante
1	oignon rouge, haché grossièrement
1 c. soupe	huile d'olive
2 c. thé	gingembre frais haché
1–2	gousses d'ail, hachées fin
1 c. thé	poudre de cari
1/2 c. thé	cumin moulu
1/2 tasse	lait de coco*
1 1/2 tasse	lait de soja nature (ou aromatisé à la vanille)
1/2 tasse	poivron rouge en dés
1/2 tasse	poivron vert en dés
1/2 tasse	carottes en dés
1/2 c. thé	sel
1 pincée	poivre moulu
1/4–1/2 c. thé	sauce piquante (facultatif)

1. Couper les escalopes jardinière en morceaux de 1/2 pouce. Mettre de côté.
2. Dans un bol, faire tremper les raisins dans l'eau bouillante pendant 30 min.
3. Dans une casserole, mélanger le riz avec 1 1/2 tasse d'eau; amener à ébullition, réduire le feu et laisser mijoter pendant 20 min.
4. Entretemps, dans un poêlon sur feu moyen, faire attendrir l'oignon dans l'huile pendant environ 5 min.
5. Ajouter le gingembre et l'ail; faire sauter pendant 1 min. Ajouter le cari et le cumin et remuer sans arrêt pendant 2 min.
6. Ajouter le reste des ingrédients, y compris les raisins et l'eau de trempage. Amener le tout à ébullition, réduire le feu et laisser mijoter pendant 10 min ou jusqu'à ce que les carottes soient tendres. Servir sur le riz basmati.

DONNE 2 PORTIONS GÉNÉREUSES

*NOTE: Le reste du lait de coco peut être congelé.

ANALYSE NUTRITIONNELLE

PAR PORTION	
Calories	723
Protéines	20 g
Glucides	122 g
Matières grasses	21 g
Fibres alimentaires	12 g

CONTRIBUTION EN % DES CALORIES	
Protéines	10 %
Matières grasses	25 %
Glucides	65 %

STROGANOFF À LA VEGGIE

AVEC LES VEGGIE BURGER BURGERS YVES

Les bouillons de légumes font de savoureuses bases de recettes. Vendus dans les supermarchés et les épiceries santé, les bouillons liquides, en cubes ou en poudre, contiennent des quantités très variables de sel. Pour éviter que la crème sure froide ne caille lorsqu'on l'ajoute à un liquide chaud, mélangez d'abord une petite quantité de liquide chaud à la crème, puis remettez le tout dans la casserole.

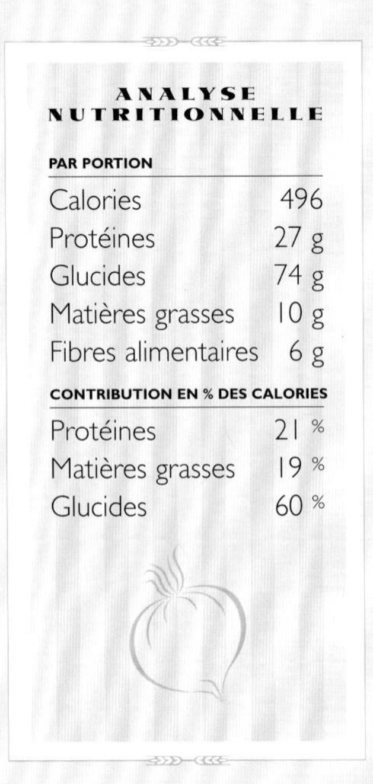

ANALYSE NUTRITIONNELLE

PAR PORTION	
Calories	496
Protéines	27 g
Glucides	74 g
Matières grasses	10 g
Fibres alimentaires	6 g
CONTRIBUTION EN % DES CALORIES	
Protéines	21 %
Matières grasses	19 %
Glucides	60 %

2	Veggie burger burgers	1/2 c. thé	sel
1–2 c. soupe	huile d'olive	1 pincée	poivre noir moulu
1/2	oignon moyen, haché	1 3/4 tasses	bouillon de légumes
2 tasses	champignons frais tranchés	1/4–1/2 tasse	crème sure légère (ou régulière)
1/2 tasse	bouillon (ou vin blanc)	4 1/2 tasses	nouilles aux œufs larges, cuites (ou riz)*
2 c. soupe	farine tout usage		
1 c. soupe	pâte de tomate		
1 c. soupe	moutarde préparée		

1. Couper les Veggie burger burgers en 2, puis couper en languettes de 1/2 pouce de large. Mettre de côté.
2. Dans une casserole sur feu moyen, faire attendrir l'oignon dans l'huile pendant environ 5 min. Ajouter les champignons et faire dorer pendant environ 5 min. Ajouter 1/2 tasse de bouillon (ou vin) et faire réduire de moitié. Incorporer la farine, la pâte de tomate, la moutarde, le sel et le poivre; faire cuire pendant 2 min, en remuant constamment.
3. Retirer du feu pendant 2 min et incorporer lentement 1/2 tasse du bouillon. Remettre sur le feu et ajouter graduellement le reste du bouillon et les Veggie burger burgers. Faire cuire pendant 5 min.
4. Dans un bol, incorporer 1/2 tasse du liquide chaud à la crème sure, puis remettre le tout dans la casserole. Réchauffer sans laisser bouillir. Servir sur un lit de nouilles ou de riz.

DONNE 3 PORTIONS

*NOTE : Utiliser 4 tasses (200 g) de nouilles sèches (ou 1 1/2 tasse de riz cru) pour obtenir 4 1/2 tasses après cuisson.

MÉLANGE MEXICAIN VEGGIE

AVEC LE SANS-VIANDE HACHÉE YVES

Voici une recette passe-partout et facile à préparer. Servez-la comme plat principal sous forme de chili, dans des tortillas sous forme de burritos, dans des tacos ou comme garniture de nachos. Sans haricots, cette recette peut même être utilisée comme sauce dans une lasagne à la mexicaine.

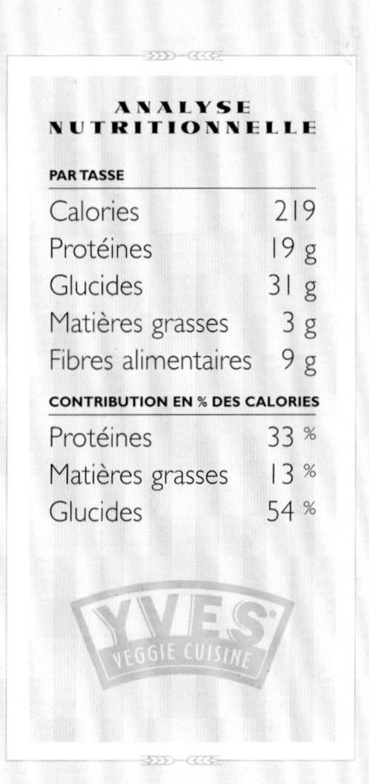

ANALYSE NUTRITIONNELLE

PAR TASSE	
Calories	219
Protéines	19 g
Glucides	31 g
Matières grasses	3 g
Fibres alimentaires	9 g
CONTRIBUTION EN % DES CALORIES	
Protéines	33 %
Matières grasses	13 %
Glucides	54 %

1 paquet	sans-viande hachée Yves	1 tasse	grains de maïs frais, en conserve ou surgelés
½	oignon moyen coupé en dés	1 c. soupe	assaisonnement au chili
2	gousses d'ail, hachées fin	1 c. thé	origan séché
1 c. soupe	huile d'olive	½ c. thé	cumin moulu
2 tasses	sauce tomate (commerciale ou recette p. 90)	½ c. thé	basilic séché
1 boîte de 14 oz	haricots rouges en conserve, égouttés	⅛ c. thé	poivre noir moulu
		2 c. soupe	coriandre fraîche hachée (facultatif)

1. Dans un bol, émietter le sans-viande hachée avec une fourchette. Mettre de côté.
2. Dans une casserole sur feu moyen, faire attendrir l'oignon et l'ail dans l'huile pendant environ 5 min.
3. Incorporer la sauce tomate, les haricots, le maïs, le chili, l'origan, le cumin, le basilic et le poivre.
4. Amener à ébullition, réduire le feu, couvrir et laisser mijoter pendant 5 min.
5. Incorporer le sans-viande hachée et la coriandre (facultatif). Bien réchauffer le tout.

DONNE 6 TASSES

BOISSONS

Soja frappé tropichoco

Soja frappé au diable la vache !

Soja frappé clair de lune

Super soja frappé aux fraises

Douceur aux fraises des champs

Douceur aux petits fruits

DOUCEUR AUX FRAISES DES CHAMPS

POURQUOI LE SOJA EST-IL SI SPÉCIAL?

UNE PROTÉINE « TOP QUALITÉ »

Le soja fournit à l'organisme des protéines de la plus grande qualité et tous les acides aminés essentiels. En fait, la protéine de soja est comparable à celles de la viande, du lait et des œufs.

UN MOINDRE RISQUE DE MALADIE CARDIAQUE

On sait que les protéines de soja réduisent le cholestérol des LDL (mauvais cholestérol) et le risque de maladie cardiaque. À la lumière d'importantes études et de nombreux essais cliniques, la Food and Drug Administration des États-Unis a reconnu, le 20 octobre 1999, l'impact du soja dans la réduction du cholestérol et déclaré « qu'une alimentation faible en gras saturé et en cholestérol, comprenant 25 grammes de protéines de soja par jour, pourrait réduire le risque de maladie cardiaque ».

DES COMPOSÉS BÉNÉFIQUES COMME LES ANTIOXYDANTS

Les sojas, et de nombreux aliments faits de soja, contiennent de façon naturelle des composés bénéfiques pour la santé, tels les antioxydants et, en particulier, les isoflavones. Les antioxydants font l'objet d'études prometteuses concernant leur action protectrice sur nos cellules.

LES ISOFLAVONES

La teneur élevée en isoflavones des sojas placent ceux-ci dans une classe à part. Les plus importantes sont la génistéine et la daidzéine. Ces composés d'origine végétale suscitent beaucoup d'intérêt chez les chercheurs et les professionnels de la santé. Des études attribuent aux isoflavones des effets bénéfiques à long terme, tels que :

- ❑ la réduction de la gravité des bouffées de chaleur chez les femmes durant la ménopause;
- ❑ le maintien, voire l'amélioration de la santé des os tout au long de la vie;
- ❑ un rôle dans la protection contre certains types de cancers.

SOJA FRAPPÉ TROPICHOCO

Ces fouettés sont si faciles à préparer, faibles en gras et pourtant si mousseux ! Fait de boisson de soja enrichie, ce délice tropichoco est une bonne source de calcium, de vitamines B12 et D et de riboflavine. La banane fournit du potassium et de la vitamine B6, et l'on trouve du magnésium dans les deux ingrédients.

1 tasse boisson de soja au chocolat	1 banane mûre, fraîche ou congelée

Mettre les ingrédients dans la jarre du mélangeur et fouetter jusqu'à ce que le tout soit homogène. Si la consistance est trop épaisse, ajouter un peu de boisson au chocolat et fouetter pendant 5 sec.

DONNE 1 1/3 TASSE

NOTE : Conservez des bananes au congélateur pour les avoir à la portée de la main lorsque vous aurez envie d'un breuvage fouetté onctueux. Épluchez les bananes, puis mettez-les dans un sac de plastique et faites congeler.

ANALYSE NUTRITIONNELLE

PAR SOJA FRAPPÉ	
Calories	349
Protéines	8 g
Glucides	62 g
Matières grasses	5 g
Fibres alimentaires	3 g
CONTRIBUTION EN % DES CALORIES	
Protéines	10 %
Matières grasses	14 %
Glucides	76 %

SOJA FRAPPÉ AU DIABLE LA VACHE !

Deux ingrédients : quoi de plus simple pour un déjeuner vite fait, une collation d'après-midi ou un supplément d'énergie pour les athlètes ou les personnes âgées ? Utilisez une boisson de soja enrichie pour obtenir calcium et vitamines D et B12, en plus des bienfaits du soja.

1 tasse boisson de soja à la vanille	1/2 banane mûre, fraîche ou congelée

Mettre les ingrédients dans la jarre du mélangeur et fouetter jusqu'à ce que le tout soit homogène. Si la consistance est trop épaisse, ajouter un peu de boisson à la vanille et fouetter pendant 5 sec.

DONNE 1 1/2 TASSE

ANALYSE NUTRITIONNELLE

PAR SOJA FRAPPÉ	
Calories	208
Protéines	8 g
Glucides	34 g
Matières grasses	5 g
Fibres alimentaires	1 g
CONTRIBUTION EN % DES CALORIES	
Protéines	15 %
Matières grasses	22 %
Glucides	63 %

SOJA FRAPPÉ CLAIR DE LUNE

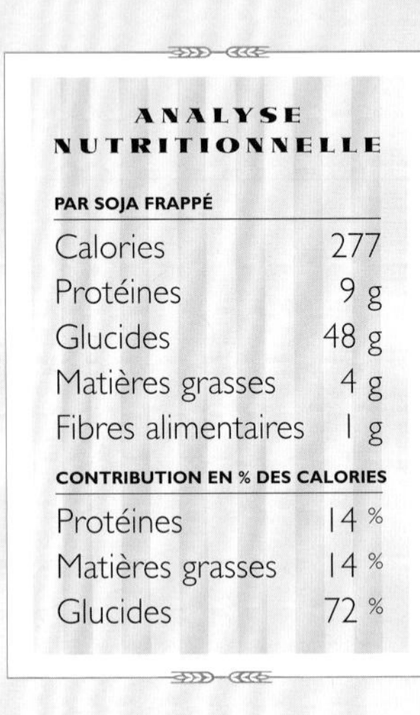

ANALYSE NUTRITIONNELLE

PAR SOJA FRAPPÉ	
Calories	277
Protéines	9 g
Glucides	48 g
Matières grasses	4 g
Fibres alimentaires	1 g
CONTRIBUTION EN % DES CALORIES	
Protéines	14 %
Matières grasses	14 %
Glucides	72 %

Le nom botanique du cacaoyer signifie « aliment pour les dieux » ! Voici une façon divine de savourer du chocolat, accompagné de bleuets et d'une touche de yogourt.

- ½ tasse boisson de soja au chocolat
- ⅓ tasse bleuets, frais ou surgelés
- ½ tasse yogourt (ou yogourt glacé) à la vanille

Mettre les ingrédients dans la jarre du mélangeur et fouetter jusqu'à ce que le tout soit homogène. Si la consistance est trop épaisse, ajouter un peu de boisson au chocolat et fouetter pendant 5 sec.

DONNE 1 TASSE

SUPER SOJA FRAPPÉ AUX FRAISES

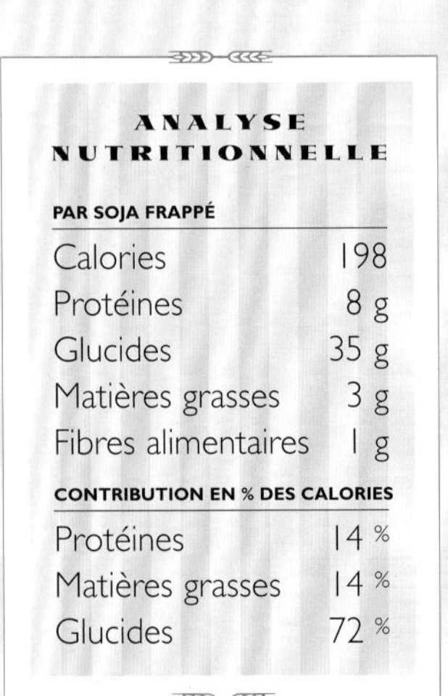

ANALYSE NUTRITIONNELLE

PAR SOJA FRAPPÉ	
Calories	198
Protéines	8 g
Glucides	35 g
Matières grasses	3 g
Fibres alimentaires	1 g
CONTRIBUTION EN % DES CALORIES	
Protéines	14 %
Matières grasses	14 %
Glucides	72 %

Grâce à ce délicieux fouetté, ce sera l'été tout au long de l'année !

- ½ tasse boisson de soja à la vanille
- ⅓ tasse fraises, fraîches ou surgelées
- ½ tasse yogourt (ou yogourt glacé) aux fraises

Mettre les ingrédients dans la jarre du mélangeur et fouetter jusqu'à ce que le tout soit homogène. Si la consistance est trop épaisse, ajouter un peu de boisson à la vanille et fouetter pendant 5 sec.

DONNE 1 TASSE

DOUCEUR AUX FRAISES DES CHAMPS

Ce fouetté est le préféré des enfants ! Vous aimerez aussi qu'ils en raffolent car il regorge de vitamine C !

1 tasse	jus d'orange
½ tasse	yogourt (ou yogourt glacé) à la vanille
⅓ tasse	fraises, fraîches ou surgelées
¼	banane mûre, fraîche ou congelée

Mettre les ingrédients dans la jarre du mélangeur et fouetter jusqu'à ce que le tout soit homogène. Si la consistance est trop épaisse, ajouter un peu de jus d'orange et fouetter pendant 5 sec.

DONNE 1 3/4 TASSE

(Voir photo p. 107)

ANALYSE NUTRITIONNELLE

PAR DOUCEUR	
Calories	269
Protéines	8 g
Glucides	56 g
Matières grasses	2 g
Fibres alimentaires	2 g
CONTRIBUTION EN % DES CALORIES	
Protéines	11 %
Matières grasses	8 %
Glucides	81 %

DOUCEUR AUX PETITS FRUITS

Tout simplement délicieux !

1 tasse	jus de pomme
¼ tasse	framboises, fraîches ou surgelées
⅓ tasse	fraises, fraîches ou surgelées
½ tasse	yogourt (ou yogourt glacé) aux fraises

Mettre les ingrédients dans la jarre du mélangeur et fouetter pendant 30 sec ou jusqu'à ce que le tout soit homogène.

DONNE 1 3/4 TASSE

ANALYSE NUTRITIONNELLE

PAR DOUCEUR	
Calories	205
Protéines	5 g
Glucides	42 g
Matières grasses	2 g
Fibres alimentaires	3 g
CONTRIBUTION EN % DES CALORIES	
Protéines	9 %
Matières grasses	7 %
Glucides	84 %

GLOSSAIRE

Voici la description d'ingrédients qui peuvent être listés sur les emballages des produits Yves Veggie Cuisine.

Acide citrique
Acide obtenu par fermentation. Il est ajouté en très petites quantités à certains produits Yves Veggie Cuisine pour en rehausser la saveur.

Algine
Gomme qui provient du varech comestible ou d'algues qui poussent sur les côtes de la Californie. Comme la gélatine, elle est utilisée pour gélifier et lier les ingrédients.

Amidon de riz
Constituant principal du riz, l'amidon de riz est un glucide complexe qui donne de la texture aux produits Yves Veggie Cuisine.

Carraghénane
Gomme extraite de plusieurs espèces d'algues rouges retrouvées sur les rivages rocheux du nord de l'Europe et de l'Amérique. Tout comme la gélatine, elle est utilisée pour gélifier et lier les ingrédients. Elle donne de la texture aux produits Yves Veggie Cuisine.

Chlorure de magnésium
Sel naturel utilisé dans la fabrication du tofu, aussi connu sous le nom japonais nigiri. Ajouté au lait de soja comme coagulant, il le transforme en caillé de tofu.

Épices et arômes naturels
Variété d'épices et arômes naturels (non artificiels) utilisés pour mettre en valeur le goût délicieux des produits Yves Veggie Cuisine et, dans certains cas, pour ajouter de la couleur. Les poudres d'ail et d'oignon donnent de la saveur et le paprika, une belle couleur rouge. Tous les arômes sont d'origine végétale. Aucun produit Yves ne contient de nitrates ou de glutamate monosodique.

Extrait de levure
Extrait issu d'une fermentation naturelle et qui donne une variété de saveurs rappelant celles du bœuf, de la dinde ou du jambon. Lorsque le degré voulu de fermentation est atteint, le produit est pasteurisé, séché et transformé en poudre.

Extrait de malt
Aromatisant légèrement sucré provenant de l'orge qu'on a fait germer, puis séché.

Farine de konjac

Farine et gomme végétale provenant d'une variété d'igname, utilisée depuis des siècles en Asie dans la préparation de mets traditionnels tels que les nouilles.

Fécule de manioc

Fécule tirée du manioc et utilisée comme épaississant. Aussi appelée tapioca.

Fibre de pois

Fibre provenant des pois, permettant d'ajouter de la texture aux aliments.

Flocons de seigle

Flocons très nourrissants que l'on obtient en chauffant les grains de seigle, puis en les roulant.

Fumée liquide naturelle

Arôme naturel obtenu par la combustion de bois dur, comme le noyer, en présence limitée d'oxygène. On recueille la fumée dont on dissout l'essence dans de l'eau purifiée.

Germe de blé

Le germe, très nutritif, est l'embryon ou la partie germinative du grain de blé.

Gomme de caroube

Gomme extraite des gousses du caroubier, un arbre que l'on trouve surtout dans le sud de l'Europe et au Moyen-Orient. La gomme de caroube donne de la texture et retient l'humidité.

Gomme de gellane

Gomme issue d'un procédé de fermentation naturelle et qui donne de la texture aux produits Yves Veggie Cuisine.

Gomme de guar

Gomme provenant de la racine du guar, une légumineuse qui pousse en Inde et dans certaines régions du sud-ouest des États-Unis. Elle retient l'humidité dans les produits Yves Veggie Cuisine.

Gomme de xanthane

Produit issu d'une fermentation naturelle, utilisé pour conserver la jutosité et ajouter de la texture aux produits Yves Veggie Cuisine.

Huile de canola

Huile obtenue à partir des graines d'une plante de la même famille que la moutarde. Cette huile a une faible teneur en gras saturés, ce qui en fait un excellent choix pour les personnes surveillant leur taux de cholestérol sanguin. Le Canada est un important producteur mondial d'huile de canola.

Isolat de protéines de soja

Excellente source de protéines comportant les neuf acides aminés essentiels. En retirant l'eau des sojas, on obtient ce produit composé à 90 % de protéines. Ingrédient de base des produits Yves Veggie Cuisine, ces protéines sont nutritives et donnent consistance et fermeté aux aliments. Le procédé d'extraction d'eau préserve les isoflavones, des composés naturels des sojas auxquels on attribue de nombreux bénéfices pour la santé.

Jus de canne évaporé

Édulcorant obtenu en concentrant par évaporation le jus fraîchement pressé de la canne à sucre mûrie au soleil. Il contient du sucrose, de petites quantités de minéraux (calcium, fer, magnésium, potassium) et des traces d'autres nutriments.

Levure alimentaire

Supplément de levure, riche en vitamines B, qui contribue à la valeur nutritive des produits Yves Veggie Cuisine.

Poudre de betterave

Betterave réduite en poudre, ajoutée à certains produits pour leur donner une couleur rouge.

Produit de protéines de soja (Voir protéines de soja texturées)

Protéines de blé : gluten de blé et protéines de blé texturées

Les protéines de blé sont offertes principalement sous ces deux formes, riches en protéines. Toutes deux retiennent l'eau et donnent leur texture unique aux produits sains Yves Veggie Cuisine.

Protéines de soja texturées/Produit de protéines de soja

Protéines de soja qui contiennent de 65 % à 75 % des protéines et tous les acides aminés essentiels. Ce sont elles qui donnent aux produits Yves Veggie Cuisine une texture fibreuse caractéristique de la viande.

Son d'avoine

Excellente source de fibres solubles. Le son d'avoine provient des couches extérieures du grain.

Tofu

Fait à partir de sojas selon un procédé similaire à celui du fromage. Les sojas secs sont trempés dans l'eau, broyés et cuits pour donner le lait de soja. On conserve seulement le liquide et on lui ajoute un coagulant, le chlorure de magnésium, pour obtenir un caillé. Les caillés sont ensuite pressés en blocs mous et blancs. Le tofu ne contient pas de cholestérol, est faible en gras saturés et riche en protéines. Il constitue une excellente source de fer, de thiamine, de phosphore et de potassium.

Vitamines et minéraux

Nutriments essentiels à la croissance et au développement qui, lorsqu'ajoutés aux produits Yves, en enrichissent la valeur nutritive. Aucun n'est de source animale. Les vitamines utilisées sont la vitamine B1 (thiamine), la vitamine B2 (riboflavine), la vitamine B3 (niacine), la vitamine B6 (pyridoxine), la vitamine B12 (cyanocobalamine) et l'acide pantothénique. Les minéraux sont le potassium, le fer et le zinc. Pour chaque produit, consultez la liste des ingrédients sur l'étiquette.

MES NOTES

ÉCONOMISEZ 75¢ ÉCONOMISEZ 75¢

YVES VEGGIE CUISINE

SUR L'ACHAT D'UN DES PRODUITS SUR L'ACHAT D'UN DES PRODUITS

DE LA FAMILLE DES TRANCHES VEGGIE YVES

Au Marchand: À la réception de ce bon ayant servi à l'achat d'un produit déterminé, nous vous rembourserons de la valeur nominale du coupon et des frais de manutention réguliers. Un demande de retour de coupons pour toute autre raison pourrait constituer une fraude et, à notre gré, pourrait entraîner l'annulation du coupon présenté, tout comme le fera le défaut de fournir, sur demande, la preuve d'achats de stocks suffisants au cours des 90 jours précédents pour couvrir les bons présentés. Les coupons soumis deviennent notre propriété. Nous n'acceptons que les demandes de retour faites par les marchands distributeurs de nos produits. **Valeur marchande 1/10 ¢.**

Retourner les bons à l'adresse suivante:
Yves Veggie Cuisine, C.P. 3000, Saint John,
Nouveau-Brunswick, E2L 4L3

DATE D'EXPIRATION : LE 31 DÉCEMBRE, 2001

LIMITE: UN BON PAR ACHAT.

ÉCONOMISEZ $1.00 ÉCONOMISEZ $1.00

SUR L'ACHAT D'UN DES PRODUITS SUR L'ACHAT D'UN DES PRODUITS

DE LA FAMILLE DES PLATS PRÉPARÉS VEGGIE YVES

Au Marchand: À la réception de ce bon ayant servi à l'achat d'un produit déterminé, nous vous rembourserons de la valeur nominale du coupon et des frais de manutention réguliers. Un demande de retour de coupons pour toute autre raison pourrait constituer une fraude et, à notre gré, pourrait entraîner l'annulation du coupon présenté, tout comme le fera le défaut de fournir, sur demande, la preuve d'achats de stocks suffisants au cours des 90 jours précédents pour couvrir les bons présentés. Les coupons soumis deviennent notre propriété. Nous n'acceptons que les demandes de retour faites par les marchands distributeurs de nos produits. **Valeur marchande 1/10 ¢.**

Retourner les bons à l'adresse suivante:
Yves Veggie Cuisine, C.P. 3000, Saint John,
Nouveau-Brunswick, E2L 4L3

23201688

DATE D'EXPIRATION : LE 31 DÉCEMBRE, 2001

LIMITE: UN BON PAR ACHAT.

ÉCONOMISEZ 75¢

YVES VEGGIE CUISINE

SUR L'ACHAT D'UN DES PRODUITS SUR L'ACHAT D'UN DES PRODUITS

DE LA FAMILLE DES BURGERS VEGGIE YVES

Au Marchand: À la réception de ce bon ayant servi à l'achat d'un produit déterminé, nous vous rembourserons de la valeur nominale du coupon et des frais de manutention réguliers. Un demande de retour de coupons pour toute autre raison pourrait constituer une fraude et, à notre gré, pourrait entraîner l'annulation du coupon présenté, tout comme le fera le défaut de fournir, sur demande, la preuve d'achats de stocks suffisants au cours des 90 jours précédents pour couvrir les bons présentés. Les coupons soumis deviennent notre propriété. Nous n'acceptons que les demandes de retour faites par les marchands distributeurs de nos produits. **Valeur marchande 1/10 ¢.**

Retourner les bons à l'adresse suivante:
Yves Veggie Cuisine, C.P. 3000, Saint John,
Nouveau-Brunswick, E2L 4L3

DATE D'EXPIRATION : LE 31 DÉCEMBRE, 2001

LIMITE: UN BON PAR ACHAT.

SUR L'ACHAT D'UN DES PRODUITS SUR L'ACHAT D'UN DES PRODUITS

DE LA FAMILLE DES SAUCISSES VEGGIE YVES

Au Marchand: À la réception de ce bon ayant servi à l'achat d'un produit déterminé, nous vous rembourserons de la valeur nominale du coupon et des frais de manutention réguliers. Un demande de retour de coupons pour toute autre raison pourrait constituer une fraude et, à notre gré, pourrait entraîner l'annulation du coupon présenté, tout comme le fera le défaut de fournir, sur demande, la preuve d'achats de stocks suffisants au cours des 90 jours précédents pour couvrir les bons présentés. Les coupons soumis deviennent notre propriété. Nous n'acceptons que les demandes de retour faites par les marchands distributeurs de nos produits. **Valeur marchande 1/10 ¢.**

Retourner les bons à l'adresse suivante:
Yves Veggie Cuisine, C.P. 3000, Saint John,
Nouveau-Brunswick, E2L 4L3

23201675

DATE D'EXPIRATION : LE 31 DÉCEMBRE, 2001

LIMITE: UN BON PAR ACHAT.

ÉCONOMISEZ $1.00 ÉCONOMISEZ $1.00

YVES VEGGIE CUISINE

SUR L'ACHAT D'UN DES PRODUITS SUR L'ACHAT D'UN DES PRODUITS

DE LA FAMILLE DES SANS-VIANDES HACHÉES YVES

Au Marchand: À la réception de ce bon ayant servi à l'achat d'un produit déterminé, nous vous rembourserons de la valeur nominale du coupon et des frais de manutention réguliers. Un demande de retour de coupons pour toute autre raison pourrait constituer une fraude et, à notre gré, pourrait entraîner l'annulation du coupon présenté, tout comme le fera le défaut de fournir, sur demande, la preuve d'achats de stocks suffisants au cours des 90 jours précédents pour couvrir les bons présentés. Les coupons soumis deviennent notre propriété. Nous n'acceptons que les demandes de retour faites par les marchands distributeurs de nos produits. **Valeur marchande 1/10 ¢.**

Retourner les bons à l'adresse suivante:
Yves Veggie Cuisine, C.P. 3000, Saint John,
Nouveau-Brunswick, E2L 4L3

DATE D'EXPIRATION : LE 31 DÉCEMBRE, 2001

LIMITE: UN BON PAR ACHAT.

SUR L'ACHAT D'UN DES PRODUITS SUR L'ACHAT D'UN DES PRODUITS

DE LA FAMILLE DES TRANCHES VEGGIE YVES

Au Marchand: À la réception de ce bon ayant servi à l'achat d'un produit déterminé, nous vous rembourserons de la valeur nominale du coupon et des frais de manutention réguliers. Un demande de retour de coupons pour toute autre raison pourrait constituer une fraude et, à notre gré, pourrait entraîner l'annulation du coupon présenté, tout comme le fera le défaut de fournir, sur demande, la preuve d'achats de stocks suffisants au cours des 90 jours précédents pour couvrir les bons présentés. Les coupons soumis deviennent notre propriété. Nous n'acceptons que les demandes de retour faites par les marchands distributeurs de nos produits. **Valeur marchande 1/10 ¢.**

Retourner les bons à l'adresse suivante:
Yves Veggie Cuisine, C.P. 3000, Saint John,
Nouveau-Brunswick, E2L 4L3

DATE D'EXPIRATION : LE 31 DÉCEMBRE, 2001

LIMITE: UN BON PAR ACHAT.